Prosper Mérimée

CARMEN

De la nouvelle au livret

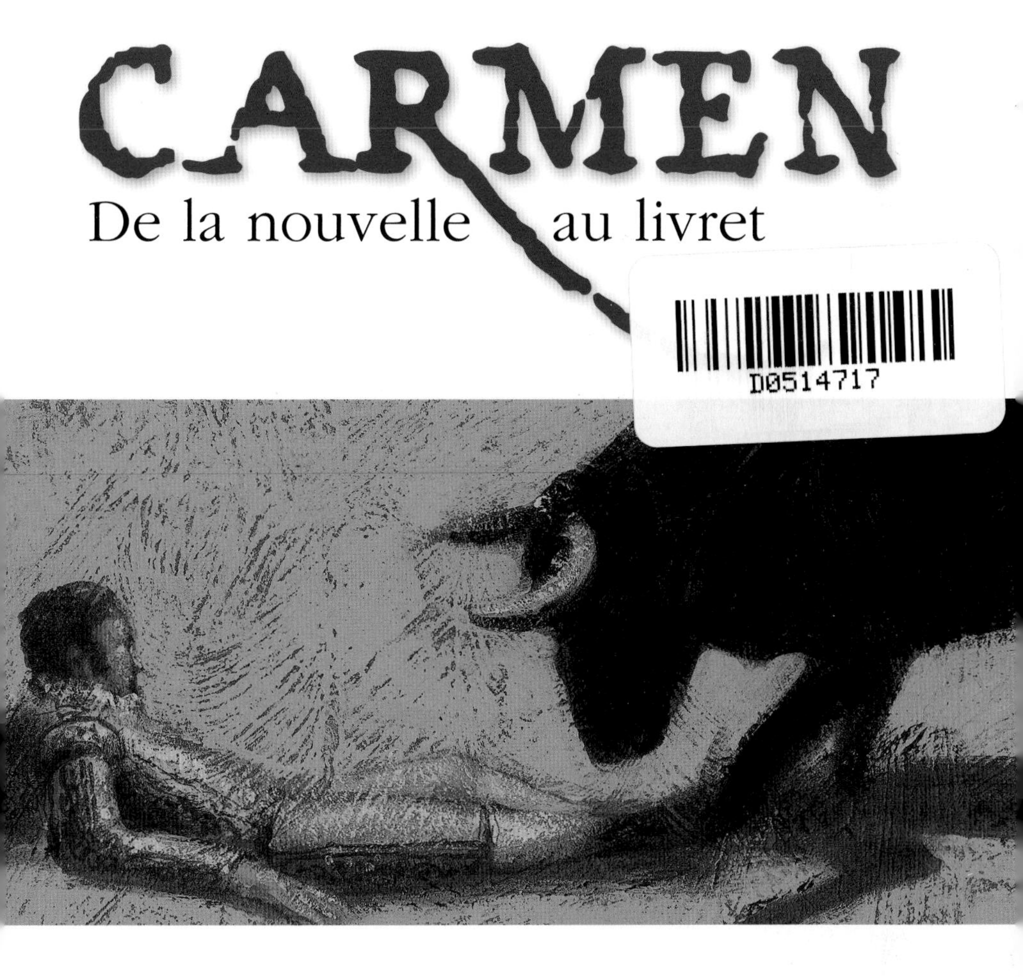

Adaptation et activités par **Margarita Barberá**

Rédaction : Domitille Hatuel, Cristina Spano
Direction artistique et conception graphique : Nadia Maestri
Mise en page : Maura Santini
Illustrations : Duilio Lopez
Recherches iconographiques : Laura Lagomarsino

Crédits photographiques : page 4 : Musée de la Ville de Paris, Musée Carnavalet, Paris, France Giraudon / Bridgeman Art Library ; pages 46-47-48-49-50-51 : Office du tourisme de Séville ; page 73 : J. Bouthillier ; pages 74-75 : Scope - J. Guillard ; page 77 : Roger-Viollet, Paris ; page 81 : h © Bettman/CORBIS.

Vous trouverez sur le site blackcat-cideb.com (espace étudiants et enseignants) les liens et adresses Internet utiles pour compléter les dossiers et les projets abordés dans le livre.

Pour toute suggestion ou information la rédaction peut être contactée :
info@blackcat-cideb.com

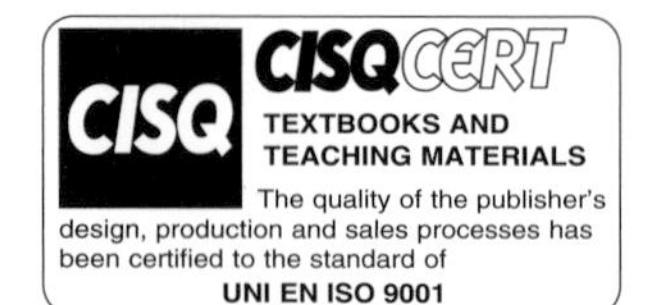

Imprimé en Italie par Litoprint, Genova

Index

Le texte est intégralement enregistré.

Ce symbole indique les exercices d'écoute et le numéro de la piste.

DELF Les exercices qui présentent cette mention préparent aux compétences requises pour l'examen.

Prosper Mérimée (1853) par Simon Jaques Rochard.

Prosper *Mérimée* (1803-1870)

Prosper Mérimée naît à Paris en 1803 dans une famille aisée et cultivée qui lui transmet le goût des lettres et des arts. Il fait de bonnes études et devient avocat, il fréquente les salons et devient l'ami de Stendhal. Esprit brillant, il commence à écrire ses premières pièces satiriques, assez appréciées du public. Puis, il s'oriente vers le genre historique qui plaît beaucoup à l'époque et écrit une *Chronique du règne de Charles IX.* Mais c'est surtout dans le genre de la nouvelle que Mérimée va exceller. Son don de l'observation, son style clair, sobre et concis, en font un maître de la nouvelle et vont lui assurer

un succès éclatant. *Tamango, Mateo Falcone, Le Vase étrusque, La Double méprise* sont autant de nouvelles d'inspiration diverse. *La Vénus d'Ille* se rattache au genre fantastique, que Mérimée pratique avec talent.
En 1834, il est nommé inspecteur général des monuments historiques, et il parcourt toute la France, mais aussi de nombreux pays méditerranéens et en particulier l'Espagne, qui le fascine. Ses souvenirs et les documents rapportés de ces voyages vont lui inspirer de nombreuses nouvelles, dont *Colomba* (voyage en Corse) et *Carmen* (voyage en Espagne).
À son retour en France, il entre dans la haute administration de Louis-Philippe. Puis sous le Second Empire, il devient un familier de la cour grâce à son amitié avec l'impératrice Eugénie. Gravement malade et accablé par les défaites de 1870 et la chute de l'Empire, il meurt à Cannes en 1870.

Du romantisme au réalisme

On peut dire que Prosper Mérimée est l'écrivain qui marque le passage du romantisme au réalisme. Comme les écrivains romantiques, il aime les sentiments forts, les personnages passionnés, le pittoresque, la fatalité. D'autre part, le genre littéraire de la nouvelle, plus courte et concise que le roman, s'allie parfaitement avec le style sobre, les descriptions courtes et le goût pour l'anecdote, le fait vrai rapporté avec précision et objectivité, qui font de lui un écrivain réaliste.

DELF **1** **Dites si les affirmations suivantes sont vraies (V) ou fausses (F).**

	V	F
1. Prosper Mérimée est né dans une famille modeste.	☐	☐
2. Il excelle surtout dans le genre historique.	☐	☐
3. Il ne pratique pas le genre fantastique.	☐	☐
4. Il n'aime pas l'Espagne.	☐	☐
5. Il devient familier de la cour.	☐	☐
6. Il marque le passage du romantisme au réalisme.	☐	☐
7. Il aime les personnages passionnés.	☐	☐

PROJET INTERNET

Lancez une recherche sur Internet sur Prosper Mérimée et culture. Visitez le site qui lui est consacré. Cliquez sur « Biographie » et « L'entourage ».

- Comment s'appellent le père et la mère de l'écrivain ?
- Quelle est la profession de son père ?

Cliquez maintenant sur « Les domiciles parisiens ».

- Combien d'adresses a Mérimée à Paris ?
- Dans quel arrondissement se situent ces logements ?

Cliquez sur « L'écrivain » et « L'ailleurs ».

- Quels sont les lieux cités ayant un rapport avec Carmen ?

Cliquez sur « Bohémienne ».

- Quel est l'autre personnage emblématique cité ?

Avant de commencer

1 **Voici les villes que vous allez rencontrer tout au long de l'histoire. Au fur et à mesure de votre lecture, tracez l'itinéraire des personnages.**

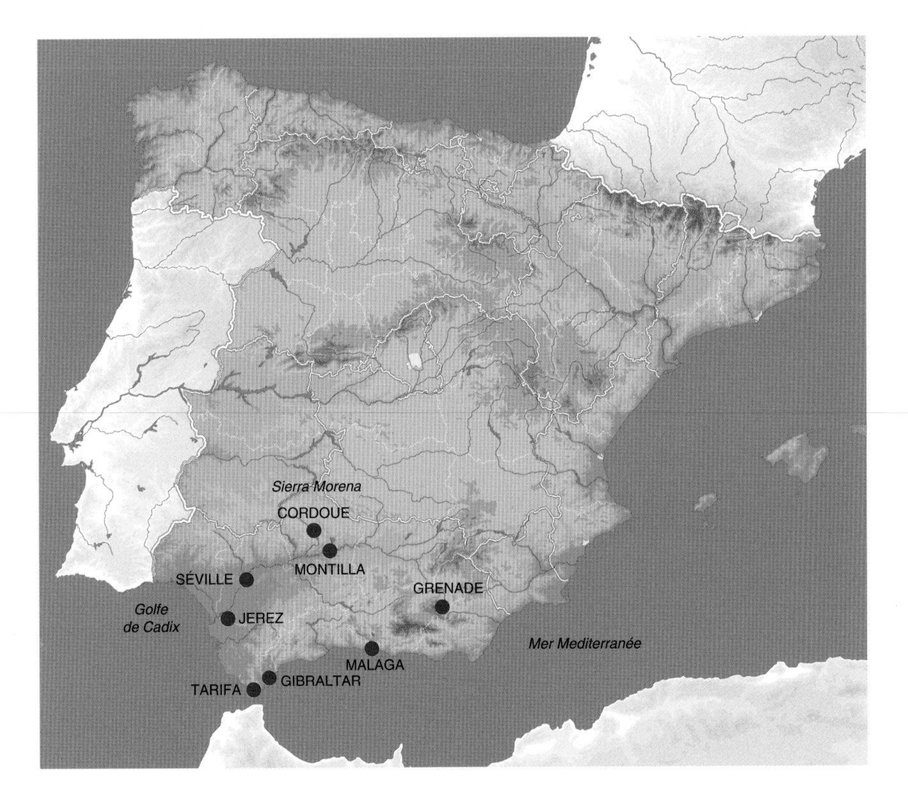

CHAPITRE **1**

Un certain Don José

Au début de l'automne 1830, je me trouve en Andalousie pour faire des recherches archéologiques sur l'emplacement de Munda[1].

Un jour, dans la plaine de Cachena, fatigué, mourant de soif et brûlé par le soleil, j'aperçois une petite pelouse verte qui annonce une source.

En effet, un ruisseau se perd dans la pelouse, il sort d'une gorge étroite de la sierra de Cabra. Après avoir fait une centaine de pas, je vois que la gorge s'ouvre sur un cirque naturel

1. **Munda** : emplacement dans la Sierra Morena, en Andalousie.

parfaitement ombragé.

L'endroit est très agréable et je décide de m'y reposer, mais je ne suis pas seul, un homme est déjà là, il semble dormir. Réveillé par le bruit des chevaux, il se lève. C'est un homme jeune, d'apparence robuste, de taille moyenne, au regard sombre et fier. Sa peau, par l'action du soleil, est plus foncée que ses cheveux. Je le salue d'un signe de tête familier et je lui demande si j'ai troublé son sommeil [1]. Il me regarde sans me répondre. En le voyant, mon guide commence à pâlir [2]. Moi, je ne laisse voir aucune inquiétude, je vais au bord de la source et je bois, puis je m'étends sur l'herbe et je lui demande s'il fume :

— Oui, Monsieur, me répond-il.

Je remarque qu'il ne prononce pas ces mots à la manière andalouse, et j'en conclus que c'est un voyageur comme moi. Je lui offre le meilleur cigare qu'il me reste et il se met à fumer avec beaucoup de plaisir.

En Espagne, un cigare donné et reçu établit des relations d'hospitalité et nous commençons à parler des lieux où nous nous trouvons.

L'endroit est si charmant que je décide de manger ici et j'invite l'étranger à partager mon repas. Apparemment, il n'a pas mangé depuis longtemps : il dévore le jambon comme un loup affamé. Mon guide, lui, mange peu, boit encore moins et ne parle pas du tout.

Sur le point de partir, mon nouvel ami, Don José, me demande

1. **Troubler le sommeil de quelqu'un** : réveiller quelqu'un.
2. **Pâlir** : perdre la couleur.

où je vais passer la nuit. Je lui réponds que je vais à la *venta*[1] *del Cuervo*.

— Mauvais endroit pour une personne comme vous, Monsieur, si vous me permettez de vous accompagner, nous ferons route ensemble.

— Très volontiers.

Je connais assez le caractère espagnol pour être sûr de n'avoir rien à craindre[2] d'un homme qui a mangé et fumé avec moi.

Nous arrivons à la *venta*, qui est vraiment misérable, mais curieusement le souper est très bon. On nous sert un coq avec du riz, du gazpacho[3] et du vin de Montilla. Après le dîner, mon compagnon se fait donner une mandoline et commence à chanter d'un air mélancolique et bizarre.

— Si je ne me trompe pas, l'air que vous venez de chanter est basque.

— Oui, répond-il d'un air sombre.

Peu après, nous nous souhaitons le bonsoir et nous allons dormir.

Au bout d'une heure, je me réveille et je me lève, persuadé qu'il vaut mieux passer le reste de la nuit à la belle étoile[4]. Don José, lui, dort profondément. Je m'installe dehors, sur un banc de bois, quand je vois passer devant moi l'ombre d'un homme et d'un cheval. C'est Antonio, mon guide. Je vais à sa rencontre.

— Où est-il ? me demande Antonio à voix basse.

1. **La venta** : une auberge.
2. **Craindre** : avoir peur.
3. **Le gazpacho** : soupe froide préparée avec des tomates.
4. **À la belle étoile** : en plein air.

— Dans l'auberge, il dort. Où allez-vous ?

— Parlez plus bas ! me dit Antonio. Vous ne savez pas qui est cet homme-là ? C'est José Navarro, le plus grand bandit de l'Andalousie. Toute la journée je vous ai fait des signes que vous ne vouliez pas comprendre !

— Bandit ou non, que m'importe ?

— Il y a deux cents ducats [1] pour qui le livrera. Je connais un poste de garde, près d'ici, et avant le jour, j'amènerai quelques soldats.

— Que le diable vous emporte ! Quel mal vous a fait ce pauvre homme pour le dénoncer ?

— Je suis un pauvre diable, Monsieur, et deux cents ducats ne sont pas à perdre ! Mais prenez garde, si le Navarro se réveille et prend son arme, gare à vous [2] !

Antonio monte sur son cheval, et disparaît dans l'obscurité...

Je suis très irrité contre mon guide et plutôt inquiet. Après un instant de réflexion, je rentre dans l'auberge. Don José dort encore. Je suis obligé de le secouer rudement pour le réveiller.

— Monsieur, je vous demande pardon de vous réveiller, mais j'ai une question à vous poser : seriez-vous tranquille de voir arriver ici une demi-douzaine de soldats ?

Il se lève d'un coup et dit d'une voix terrible :

— Qui le dit ? Ah ! Votre guide ! Votre guide m'a trahi !

— Peu importe. Avez-vous oui ou non des motifs pour ne pas attendre les soldats ?

— Adieu, Monsieur. Je ne suis pas aussi mauvais que vous croyez...

1. **Le ducat** : ancienne monnaie d'or.
2. **Gare à vous** : faites attention.

— Tenez, voilà des cigares pour votre route et promettez-moi de ne pas vouloir vous venger. Bon voyage !

Je lui tends la main, il la serre sans répondre. Quelques instants après, je l'entends galoper dans la campagne. Je me recouche mais je ne peux pas dormir. Je me demande si j'ai eu raison de sauver un voleur ou peut-être un assassin lorsque je vois arriver Antonio avec six cavaliers. Je me dirige vers eux pour leur dire que le bandit s'est enfui depuis plus de deux heures.

Après ma rencontre avec Don José, je vais à Cordoue pour étudier un manuscrit sur l'antique Munda. Le manuscrit se trouve à la bibliothèque du couvent des Dominicains, où je passe toutes mes journées. Le soir, je me promène dans la ville.

À Cordoue, il existe une étrange coutume : les femmes ont l'habitude de se baigner dans le Guadalquivir à la tombée de la nuit. Un soir, alors que je regarde le spectacle comme beaucoup d'autres hommes, une femme vient s'asseoir près de moi. Elle a un gros bouquet de jasmin dans les cheveux. Elle est habillée tout en noir, très simplement. La mantille [1] qui couvre sa tête tombe sur ses épaules et je peux voir qu'elle est petite, jeune, bien faite et qu'elle a de grands yeux. Nous commençons à parler, puis au bout d'un moment, je l'invite à prendre une glace. Elle accepte et me demande :

— De quel pays êtes-vous, Monsieur ?

— Je suis français, et vous, vous êtes de Cordoue ?

— Allons, allons, vous voyez bien que je suis bohémienne [2] !

1. **La mantille** : écharpe de dentelle généralement noire, dont les Espagnoles se couvrent la tête et les épaules.
2. **La bohémienne** : tzigane, gitane.

Vous avez entendu parler de la Carmencita ? C'est moi.

Une bougie posée sur la table me permet d'examiner ma gitane. Elle n'est pas d'une beauté parfaite mais elle est infiniment plus jolie que toutes les autres bohémiennes. Sa peau n'est pas très claire, mais uniformément cuivrée [1], ses yeux sont légèrement obliques, ses lèvres un peu grosses mais bien dessinées. Ses cheveux sont longs, noirs et brillants et ses dents très blanches. C'est une beauté étrange et sauvage qu'on ne peut pas oublier.

Je décide de me faire dire la bonne aventure [2] et lui propose de l'accompagner chez elle. Elle accepte et me demande l'heure. Elle observe avec attention ma montre et me dit :

— Elle est vraiment en or ?

Nous sortons et traversons la ville ; nous arrivons devant une maison très pauvre. Un enfant nous ouvre la porte, nous pénétrons dans une chambre meublée d'une petite table, de deux tabourets [3] et d'un coffre [4]. La bohémienne sort du coffre des cartes puis elle me dit de faire une croix dans ma main gauche avec une pièce de monnaie ; la cérémonie magique commence...

Mais tout à coup [5], la porte s'ouvre avec violence ; un homme, enveloppé dans un manteau, entre dans la chambre et interpelle brutalement la bohémienne. Je ne comprends pas ce qu'il dit. La gitane ne montre ni surprise ni colère, elle lui répond dans une langue mystérieuse. L'homme la repousse [6] rudement et s'avance vers moi, puis il recule [7] :

1. **Cuivré** : bronzé.
2. **Dire la bonne aventure** : prédire l'avenir de quelqu'un par la divination.
3. **Le tabouret** :
4. **Le coffre** : 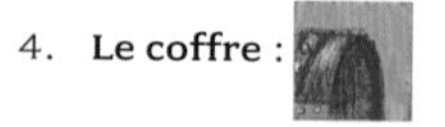
5. **Tout à coup** : brusquement, soudain.
6. **Repousser** : pousser en arrière.
7. **Reculer** : faire un pas en arrière.

— Ah ! Monsieur, c'est vous !

Je reconnais immédiatement mon ami Don José.

— Mademoiselle m'annonçait des choses bien intéressantes quand...

— Toujours la même ! Ça finira, dit-il entre ses dents.

Don José et la bohémienne continuent à se disputer, elle le regarde avec mépris.

Don José me prend le bras, ouvre la porte et me conduit dans la rue. Il me dit :

— Toujours tout droit et vous trouverez le pont.

Il s'en va rapidement.

Quand je reviens à l'auberge, je suis de très mauvaise humeur et, en plus, je m'aperçois que je n'ai plus ma montre.

Quelques mois plus tard, je reviens à Cordoue : un des pères Dominicains m'accueille avec surprise et soulagement :

— Dieu soit loué ! Vous n'êtes pas mort ! On vous a seulement volé !

— Comment cela ?

— Eh bien ! On a retrouvé votre belle montre et le voleur est en prison.

— Comment s'appelle-t-il ?

— On le connaît sous le nom de José Navarro mais il a aussi un autre nom basque. Ce n'est pas qu'un voleur, c'est aussi un dangereux assassin, il sera exécuté après-demain.

Je vais rendre visite au prisonnier et lui apporte un paquet de cigares. Le lendemain, je passe une partie de la journée avec lui : c'est là qu'il me raconte les tristes aventures de sa vie.

Compréhension orale et écrite

DELF **1 Écoutez l'enregistrement du chapitre et cochez la réponse exacte.**

1. Le narrateur de l'histoire est
- **a.** ☐ José Navarro.
- **b.** ☐ Antonio.
- **c.** ☐ Mérimée.

2. Mérimée se trouve en Espagne
- **a.** ☐ pour apprendre l'espagnol.
- **b.** ☐ pour des recherches archéologiques.
- **c.** ☐ pour visiter le pays.

3. L'homme qu'il rencontre est
- **a.** ☐ un bandit.
- **b.** ☐ un soldat.
- **c.** ☐ un guide.

4. Le narrateur et José Navarro deviennent
- **a.** ☐ complices.
- **b.** ☐ amis.
- **c.** ☐ ennemis.

5. Antonio veut livrer le bandit aux soldats
- **a.** ☐ pour devenir célèbre.
- **b.** ☐ pour gagner 200 ducats.
- **c.** ☐ pour protéger le narrateur.

6. Le narrateur décide
- **a.** ☐ de ne pas réveiller le bandit et d'attendre les soldats.
- **b.** ☐ de réveiller le bandit pour l'aider à s'enfuir.
- **c.** ☐ de réveiller le bandit sans rien lui dire.

2 Lisez maintenant le texte et répondez aux questions.

1. Pourquoi le guide a-t-il peur en voyant José Navarro ?

   ....

2. Comment le narrateur comprend-il que José Navarro n'est pas andalou ?

   ....

3. Pourquoi le narrateur n'a-t-il pas peur de voyager avec lui ?

   ....

4. Pourquoi le narrateur est-il irrité contre son guide ?

   ....

5. Quel doute a le narrateur après la fuite du bandit ?

   ....

6. Comment le narrateur juge-t-il la beauté de la bohémienne ?

   ....

7. Pourquoi Carmen n'a-t-elle pas le temps de lui lire les cartes ?

   ....

8. Quel est le comportement de l'homme qui entre dans la chambre ?

   ....

9. Pourquoi le narrateur est-il de mauvaise humeur quand il rentre à l'auberge ?

   ....

10. Qui, selon vous, a volé la montre du narrateur ?

   ....

11. Pourquoi José Navarro sera-t-il exécuté ?

   ....

Grammaire

Le passé composé

Pour former le passé composé, on emploie le présent de l'auxiliaire ***être*** ou ***avoir*** et on ajoute le participe passé :
auxiliaire au présent + participe passé.

*Vous **avez entendu** parler de la Carmencita ? C'est moi !*

Tous les verbes se conjuguent au passé composé avec ***avoir***, sauf certains verbes intransitifs indiquant un déplacement ou un mouvement, et les verbes pronominaux, qui se conjuguent avec ***être***.

*Elle **a chanté** une belle chanson.*

Voici la liste des verbes intransitifs les plus utilisés :
venir (revenir), devenir, arriver, entrer (rentrer), monter, rester, descendre, tomber, sortir, partir, aller, retourner, naître, mourir.
Quand le verbe est conjugué avec l'auxiliaire ***être***, le participe s'accorde en genre et en nombre avec le sujet.

*Elle **est arrivée** en retard.*

Dans tous les temps composés du passé, la négation (***ne ... pas***) se place avant et après l'auxiliaire.

*Elle n'**est** pas **venue** aujourd'hui.*

N.B. Certains verbes normalement intransitifs, comme ***sortir, monter, descendre, rentrer***, peuvent avoir un complément d'objet direct. Dans ce cas, ils sont conjugués avec ***avoir***.

*Elle **a monté** sa valise au premier étage.*

Formation du participe passé

• verbes en -**er**	chanter = chanté	
• verbes en -**ir**	finir = fini	ouvrir = ouv**ert**
• participe passé en -**it**	écrire = écr**it**	dire = d**it**
• participe passé en -**is**	mettre = m**is**	prendre = pr**is**
• participe passé en -**u**	lire = l**u**	pouvoir = p**u**
	croire = cr**u**	savoir = s**u**
• participe passé de :	faire = **fait**	
	avoir = **eu**	être = **été**

1 Transformez les phrases suivantes selon le modèle.

Exemple : Je **vais** à Cordoue pour étudier.
= *Je **suis allé** à Cordoue pour étudier.*

1. Je passe mes journées chez les Dominicains.

....

2. Une femme vient s'asseoir près de moi.

....

3. On ne peut pas oublier cette beauté étrange et sauvage.

....

4. Nous sortons et traversons la ville.

....

5. Nous arrivons devant une maison.

....

6. Je ne comprends pas ce qu'il dit.

....

Enrichissez votre vocabulaire

4 **1** **Écoutez l'enregistrement et complétez ce résumé.**

Le narrateur se trouve maintenant à **1** .... pour étudier un **2** .... sur l'antique Munda. Un soir, il fait la connaissance d'une **3** ...., la Carmencita. Il l'invite à prendre une **4** ...., puis il décide de se faire dire la **5** .... La jeune fille sort les **6** .... et demande au narrateur de faire une **7** .... dans la main **8** ....
Tout à coup, un homme entre avec **9** .... dans la chambre. Il est en colère contre la bohémienne. Il **10** .... le narrateur dans la rue et lui indique la direction pour retourner à **11** ....
Quelques mois plus tard, le narrateur revient à Cordoue et apprend qu'on a retrouvé sa **12** .... Le **13** ...., José Navarro, est en prison. Le narrateur lui rend **14** .... deux fois. José Navarro va être **15** ...., mais avant, il lui raconte les tristes **16** .... de sa vie.

2 Que peut-on trouver dans votre chambre ? Retrouvez les mots dans le dessin.

1 une armoire 2 un tabouret 3 une étagère avec des livres
4 un bureau 5 un canapé 6 une chaise 7 une table de nuit
8 un coussin 9 un fauteuil 10 un lit
11 un miroir 12 un tapis 13 des rideaux

Production écrite et orale

DELF **1** En vous aidant du vocabulaire de l'exercice précédent, décrivez votre chambre à votre correspondant français. Utilisez *à gauche, à droite, au fond, au centre*. Décrivez la chambre de vos rêves. Comment l'imaginez-vous ?

....

PROJET INTERNET

La gastronomie

Faites une recherche croisée des mots « saveur + Espagne ».

- Cliquez sur « Gastronomie » et ensuite sur « Andalousie ».
  Indiquez le nom de quelques plats typiques de cette région.
- Cliquez maintenant sur « Gazpacho andalou ».
  Indiquez quels sont les ingrédients pour préparer ce plat.
- Cliquez ensuite sur « Poulet au Xérès ».
  Indiquez quels sont les ingrédients pour préparer ce plat.
- Cliquez sur « Les vins d'Andalousie ».
  Indiquez quels sont les vins présentés.
- Revenez sur la page « Gastronomie » et cliquez sur « Les tapas, nouvelles recettes ».

Répondez aux questions :

- Où peut-on manger des tapas ?
- Qu'est-ce qu'on peut boire avec les tapas ?
- Quelle est l'origine du mot tapas ?
- À quelle heure déjeunent les espagnols ? À quelle heure dînent-ils ?
- À quoi peuvent correspondre les tapas en français ?
- Comment peut-on servir les tapas ?
- Indiquez quelques noms de tapas.

Madrid, une capitale européenne

Faites une recherche croisée des mots « saveur + Espagne ».

- Cliquez sur « Espagne ».
- Sur la carte, cliquez sur « Madrid ».

Répondez aux questions :

- Où est située la ville ? Combien d'habitants y a-t-il ?
- Quelles institutions ont leur siège à Madrid ?
- Quelles sont les principales activités économiques de la ville ?
- Qu'est-ce qu'on peut faire la nuit ? Et le jour ?
- Qu'est-ce que l'Escorial ?
- Comment s'appelle la patrie de Cervantes ?
- Quel est le fleuve qui passe à Aranjuez ?

- Cliquez maintenant sur « Le Prado ». Parmi les artistes présentés, indiquez celui que vous préférez et dites pourquoi.

CHAPITRE **2**

La Carmencita

Je suis né à Elizondo, dans la vallée de Bazan, et je m'appelle Don José Lizarrabengoa. Je suis Basque et vieux chrétien. Engagé [1] dans le Régiment de cavalerie d'Almanza, je deviens bientôt brigadier. Mais pour mon malheur, on me met de garde à la Manufacture de tabacs à Séville...

Il y a bien cinq cents femmes qui travaillent à la Manufacture. Elles roulent les cigares dans une grande salle, où les hommes n'entrent pas sans permission.

À l'heure où les ouvrières arrivent, beaucoup de jeunes gens

1. **Engagé** : recruté.

viennent les voir passer. Un jour, je les entends dire :

— Voilà la gitanilla !

Je lève les yeux et je vois cette Carmen que vous connaissez. Elle a un jupon rouge très court, des bas de soie blancs avec plus d'un trou, et des souliers de cuir rouge, attachés avec des rubans couleur de feu. Elle écarte sa mantille pour montrer ses épaules et un gros bouquet de fleurs qui sort de sa chemise. Elle a aussi une fleur au coin de la bouche, et elle avance en se balançant sur ses hanches [1]. Quand on lui adresse quelques compliments, elle répond, faisant les yeux doux, les poings sur les hanches, comme une vraie bohémienne qu'elle est. Tout d'abord, elle ne me plaît pas vraiment, et je me remets à fabriquer une petite chaîne de métal pour mon épinglette [2], mais elle s'arrête devant moi et me dit :

— Compère, veux-tu me donner ta chaîne pour tenir les clés de mon coffre-fort ?

— C'est pour attacher mon épinglette, je lui réponds.

— Ton épinglette ! Ah ! Monsieur fait de la dentelle, puisqu'il a besoin d'épingles !

Tout le monde se met à rire et moi je me sens rougir sans avoir rien à répondre.

— Allons, mon cœur, reprend-elle, fais-moi de la dentelle pour une mantille ! Et elle me jette la fleur qu'elle a dans la bouche, juste entre les yeux. Cela me fait l'effet d'une balle.

Deux heures après, un homme arrive dans le corps de garde, il est tout agité :

— Dans la grande salle des cigares, il y a une femme

1. **La hanche** : 
2. **L'épinglette** : longue aiguille pour déboucher les armes à feu. 

assassinée !

Quand je rentre dans la salle, je vois d'un côté une femme couverte de sang avec un X sur le visage fait avec deux coups de couteau ; de l'autre, Carmen qui est tenue par cinq ou six femmes. Le cas est clair. Je prends Carmen par le bras.

— Ma sœur, il faut me suivre.

Elle répond d'un air résigné :

— Marchons ! Où est ma mantille ?

Elle la met sur sa tête et me suit, douce comme un agneau. Quand nous arrivons au corps de garde, le maréchal dit :

— C'est grave... il faut la mener en prison.

C'est encore moi qui dois l'accompagner. D'abord silencieuse, elle commence à laisser tomber sa mantille sur ses épaules, puis se tourne vers moi et me dit :

— Monsieur, où me menez-vous ?

— À la prison, ma pauvre enfant !

— Hélas[1] ! Qu'est-ce que je vais devenir ? Monsieur, ayez pitié de moi, vous êtes si jeune, si gentil, laissez-moi m'échapper !

— Nous ne sommes pas ici pour dire des bêtises, il faut aller en prison, c'est la consigne !

Elle reconnaît mon accent et me dit :

— Camarade de mon cœur, êtes-vous du pays basque ?

— Oui, je suis d'Elizondo.

— Moi je suis d'Etchalar. Des bohémiens m'ont emmenée à Séville. Mais je travaille à la manufacture pour gagner de quoi retourner au pays, près de ma pauvre mère qui n'a que moi. Camarade, mon ami, ne ferez-vous rien pour une *payse* [2] ?

1. **Hélas** : interjection qui exprime la douleur.
2. **La payse** : compatriote, de la même région.

CARMEN

Elle ment, monsieur, elle ment toujours, mais c'est plus fort que moi, quand elle parle, je crois tout ce qu'elle dit. Et ce jour-là, je suis prêt à faire des bêtises.

Elle me dit en basque :

— Si je vous pousse, et que vous tombez, personne ne me retiendra...

Je lui réponds :

— Eh bien, mon amie, essayez et que Notre Dame de la montagne vous aide !

Tout à coup, Carmen se retourne et me lance un coup de poing dans la poitrine. Je me laisse tomber à la renverse [1]. Elle se met à courir... Moi, je me relève aussitôt, mais la prisonnière n'est plus là.

Bien sûr, mes supérieurs ont des doutes : je suis dégradé et mis en prison pour un mois. C'est ma première punition et je peux dire adieu aux galons [2] de maréchal que je croyais déjà tenir... Pourtant je ne peux m'empêcher de penser à elle.

À ma sortie de prison, une autre humiliation m'attend : je suis mis de garde à la porte du colonel, comme un simple soldat. C'est un jeune homme riche, qui aime beaucoup s'amuser. Tous les jeunes officiers vont chez lui, des bourgeois et des femmes aussi, des actrices. Un jour, voilà qu'arrive la voiture du colonel. Qui je vois descendre ?... La gitanilla ! Elle a un tambour basque [3] à la main et deux autres bohémiennes l'accompagnent.

Carmen me reconnaît :

— Bonjour brigadier, tu montes la garde comme un simple

1. **À la renverse** : sur le dos.
2. **Le galon** : signe distinctif des grades et des fonctions dans l'armée.
3. **Le tambour basque** :

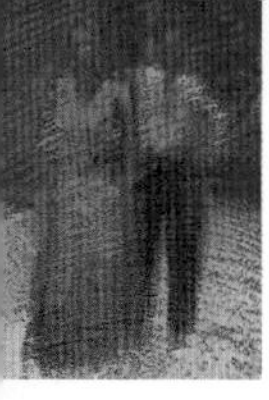

soldat ?

Je n'ai pas le temps de répondre, elle est déjà dans la maison.

Il y a beaucoup de monde et j'entends les castagnettes [1], le tambour, les rires et les bravos. J'entends surtout les officiers qui lui font des compliments et je voudrais leur planter mon sabre [2] dans le corps. C'est, je crois, à partir de ce jour-là, que je commence à l'aimer vraiment. Mon supplice dure une bonne heure puis les bohémiennes sortent.

Carmen passe devant moi et me dit très bas :

— Quand on aime la bonne friture, on va à Triana, chez Lillas Pastia.

Vous devinez bien que, ma garde finie, je vais à Triana.

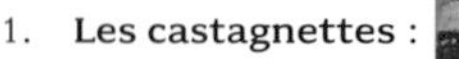

1. **Les castagnettes :** 

2. **Le sabre :** 

Compréhension orale et écrite

DELF **1** **Écoutez l'enregistrement du chapitre et dites si les affirmations suivantes sont vraies (V) ou fausses (F) ; si elles sont fausses, corrigez-les.**

		V	F
1.	José Navarro vient du pays basque.	☐	☐
2.	Carmen travaille à la Manufacture de tabacs.	☐	☐
3.	Carmen s'habille et se comporte avec discrétion.	☐	☐
4.	Elle plaît tout de suite à José.	☐	☐
5.	Elle a donné un coup de couteau à une femme.	☐	☐
6.	Elle est emmenée en prison.	☐	☐
7.	José accepte de l'aider à s'enfuir.	☐	☐
8.	José est seulement mis en prison.	☐	☐
9.	Carmen va chez le colonel pour danser.	☐	☐
10.	Elle donne rendez-vous à José dans une église.	☐	☐

2 **Répondez aux questions.**

1. Où se rencontrent José et Carmen pour la première fois ?
   ....
2. Pourquoi, à votre avis, Carmen ne plaît-elle pas à José ?
   ....
3. Comment le ridiculise-t-elle ?
   ....
4. Que s'est-il passé dans la salle des cigares ?
   ....
5. Que fait croire Carmen à José pour le convaincre à l'aider à s'échapper ?
   ....
6. Comment José comprend-il qu'il aime Carmen ?
   ....

Enrichissez votre vocabulaire

1 Décrivez les deux portraits à l'aide des mots suivants.

1 dents 2 yeux 3 bouche 4 épaules 5 joues 6 front 7 menton
8 oreilles 9 moustache 10 barbe 11 cheveux 12 sourcils 13 nez

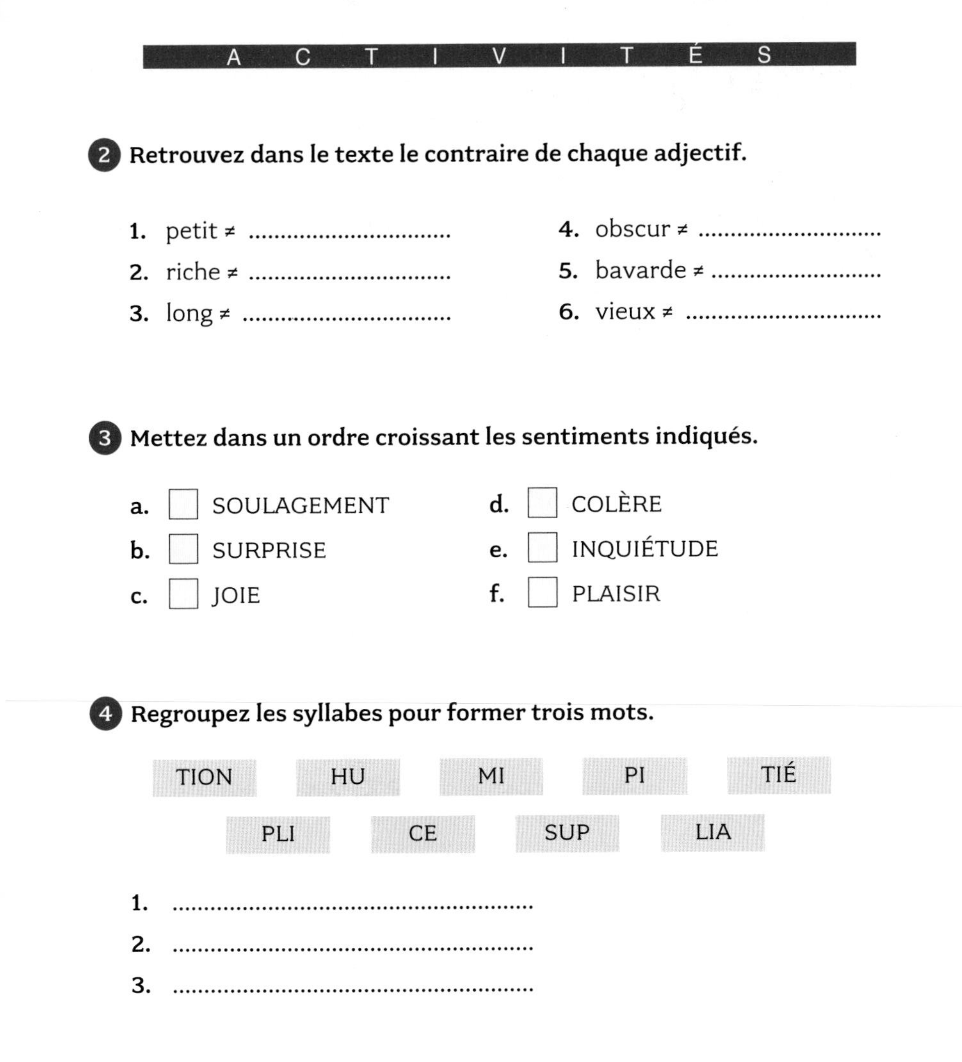

2 **Retrouvez dans le texte le contraire de chaque adjectif.**

1. petit ≠ ....
2. riche ≠ ....
3. long ≠ ....
4. obscur ≠ ....
5. bavarde ≠ ....
6. vieux ≠ ....

3 **Mettez dans un ordre croissant les sentiments indiqués.**

a. ☐ SOULAGEMENT
b. ☐ SURPRISE
c. ☐ JOIE
d. ☐ COLÈRE
e. ☐ INQUIÉTUDE
f. ☐ PLAISIR

4 **Regroupez les syllabes pour former trois mots.**

TION HU MI PI TIÉ

PLI CE SUP LIA

1. ....
2. ....
3. ....

Production écrite et orale

DELF **1** **Présentez-vous physiquement et moralement et faites le portrait d'une personne de votre choix.**

DELF **2** **Exprimez les sentiments que vous éprouvez envers une personne de votre choix.**

CHAPITRE **3**

Les affaires d'Égypte[1]

Dès que j'entre chez Lillas Pastia, Carmen dit :

— Lillas, je ne veux plus travailler. Allons *pays,* allons nous promener.

Elle met sa mantille devant son nez, et nous voilà dans la rue, sans savoir où nous allons.

À l'entrée de la rue du Serpent, elle achète une douzaine d'oranges, un peu plus loin elle achète encore un pain, du saucisson, une bouteille de manzanilla[2] ; puis enfin, elle entre

1. **Les affaires d'Égypte** : contrebande.
2. **La manzanilla** : vin blanc.

chez un confiseur. Elle prend tout ce qu'il y a de plus beau et de plus cher.

Nous nous arrêtons dans la rue du Candilejo, devant une vieille maison.

Une bohémienne vient nous ouvrir, Carmen lui donne deux oranges et une poignée de bonbons et la met à la porte, qu'elle ferme avec la barre de bois. Dès que nous sommes seuls, elle se met à danser et à rire comme une folle, en chantant :

— Tu es mon *rom*, je suis ta *romi* [1].

Ah ! Monsieur cette journée-là ! ... quand j'y pense, j'oublie celle de demain. Nous avons passé ensemble toute la journée, mangeant, buvant et le reste. Je lui dis que je voudrais la voir danser ; mais, où trouver des castagnettes ? Aussitôt elle prend la seule assiette de la maison, la casse en morceaux et la voilà qui danse en faisant claquer [2] les morceaux de faïence [3] aussi bien que si elle avait des castagnettes. Le soir arrive et j'entends les tambours qui battent la retraite.

— Il me faut aller au quartier [4] pour l'appel.

— Au quartier ? dit-elle d'un air de mépris. Tu es donc un esclave pour te laisser mener à la baguette ?

Je reste donc chez elle.

Le lendemain matin, c'est elle qui parle la première de nous séparer.

— Écoute Joseito, dit-elle, je ne te dois rien, mais tu es un joli

1. **Le rom** : mari. **La romi** : femme.
2. **Claquer** : produire un bruit sec et sonore.
3. **La faïence** : céramique.
4. **Le quartier** : emplacement où sont installés les logements d'une armée.

garçon et tu m'as plu.

Je lui demande quand je la reverrai. Elle me répond :

— Sais-tu, mon fils, que je crois que je t'aime un peu ? Mais cela ne peut durer. Chien et loup ne font pas longtemps bon ménage. Peut-être que si tu prends la loi d'Égypte, j'aimerais devenir ta romi. Mais ce sont des bêtises. Allons, adieu encore une fois, ne pense plus à la Carmencita.

En parlant ainsi, elle ouvre la porte, et une fois dans la rue, elle s'enveloppe dans sa mantille et s'en va.

Depuis cette journée, je ne peux plus penser à autre chose. Je me promène toute la journée en espérant la rencontrer.

Quelques semaines après, je vois passer Lillas Pastia près du corps de garde qui parle avec quelques-uns de mes camarades ; tous le connaissent. Il s'approche de moi et me demande si j'ai des nouvelles de Carmen.

— Non, lui dis-je.

— Eh bien, vous en aurez, compère.

Il ne se trompe pas. La nuit, je suis de faction à la brèche [1]. Je vois venir une femme, le cœur me dit que c'est Carmen. Cependant je crie :

— Au large ! On ne passe pas !

— Ne faites donc pas le méchant.

— Quoi ! Vous voilà, Carmen !

— Oui, parlons un peu. Veux-tu gagner un douro [2] ? Des gens vont venir avec des paquets, laisse-les faire.

— Non, je dois les empêcher de passer, c'est la consigne.

— La consigne ! Tu n'y pensais pas rue du Candilejo.

1. **La brèche** : ouverture dans une enceinte fortifiée.
2. **Le douro** : ancienne monnaie d'argent espagnole.

J'ai la faiblesse de laisser passer toute la bohème s'il le faut afin d'obtenir la seule récompense que je désire.

Nous faisons la paix, mais Carmen a l'humeur comme le temps est chez nous. Jamais l'orage n'est si près dans nos montagnes que lorsque le soleil est le plus brillant.

Je cherche Carmen partout où je crois qu'elle peut être. Un soir, je la vois entrer rue du Candilejo, suivie d'un lieutenant de notre régiment. Je suis stupéfait, la rage dans le cœur.

— Qu'est-ce que tu fais ici ? Décampe[1] ! me dit le lieutenant.

Comme il est en colère, voyant que je ne me retire pas, il tire son épée et je dégaine[2] ..., puis comme le lieutenant me poursuit, je mets la pointe de mon épée au corps et il s'enferre[3] ...

Je me sauve dans la rue et me mets à courir sans savoir où aller. Il me semble que quelqu'un me suit. Carmen ne me quitte pas.

Il faut quitter Séville le plus tôt possible, car si l'on me prend, je suis fusillé sans rémission.

— Mon garçon, me dit Carmen, il faut que tu songes à gagner ta vie. Tu es trop bête pour voler. Va-t'en sur la côte et fais-toi contrebandier.

C'est ainsi qu'elle me montre la nouvelle carrière qu'elle me destine.

Je n'ai pas beaucoup de peine, car il me semble que je m'unis à elle plus intimement par cette vie de hasard et de rébellion.

Je vais à Jerez où le Dancaïre, le chef des contrebandiers, me reçoit dans sa troupe.

1. **Décamper** : s'en aller précipitamment.
2. **Dégainer** : mettre l'épée à la main pour se battre.
3. **S'enferrer** : se jeter sur l'épée de son adversaire.

Dans les expéditions, Carmen sert d'espion[1] à nos gens. La vie de contrebandier me plaît plus que celle de soldat ; je fais des cadeaux à Carmen, j'ai de l'argent et une maîtresse. Je suis si faible devant cette créature que j'obéis à tous ses caprices.

Un jour, le Dancaïre me dit :

— Nous allons avoir un camarade de plus, Carmen vient de faire un de ses meilleurs tours. Elle vient de faire échapper son rom, qui était au presidio[2] de Tarifa.

— Comment ! son mari ! Elle est donc mariée !

— Oui, répond-il, à García le Borgne[3], un bohémien aussi audacieux qu'elle.

Vous imaginez le plaisir que cette nouvelle me procure.

Il est noir de peau et encore plus noir d'âme. Je suis indigné.

Un matin, en route, nous nous apercevons qu'une douzaine de cavaliers sont à nos trousses[4]. J'entends siffler les balles, mais quand on est en vue d'une femme, il n'y a pas de mérite à se moquer de la mort. Il y a dans notre groupe un joli garçon d'Ecija qui s'appelle le Remendado. Le pauvre reçoit un coup de feu dans les reins. Je jette mon paquet et j'essaie de le prendre.

— Imbécile ! me crie García. Achève-le !

Alors García s'avance et lui lâche son espingole[5] dans la tête.

— Bien habile qui le reconnaîtrait, maintenant, dit-il en regardant son visage défiguré.

1. **L'espion** : personne chargée d'épier les actions d'autrui.
2. **Le presidio** : la prison.
3. **Le borgne** : qui a perdu un œil.
4. **Être aux trousses de quelqu'un** : suivre quelqu'un.
5. **L'espingole** : fusil court.

Compréhension orale

DELF **1 Écoutez l'enregistrement du chapitre et cochez la réponse exacte.**

1. Carmen et Don José se donnent rendez-vous

- **a.** ☐ Rue du Serpent.
- **b.** ☐ Rue du Candilejo.
- **c.** ☐ chez Lillas Pastia.

2. Chez le confiseur, Carmen prend tout ce qu'il y a

- **a.** ☐ de plus cher.
- **b.** ☐ de plus beau et de plus cher.
- **c.** ☐ de moins beau et de moins cher.

3. Carmen casse la seule assiette de la maison en morceaux

- **a.** ☐ pour jouer.
- **b.** ☐ pour jouer des castagnettes.
- **c.** ☐ parce qu'elle est fâchée.

4. Quand les tambours battent la retraite, Don José doit

- **a.** ☐ rester chez Carmen.
- **b.** ☐ aller au quartier pour l'appel.
- **c.** ☐ se laisser mener à la baguette.

5. Pour gagner sa vie, Don José doit

- **a.** ☐ voler.
- **b.** ☐ devenir espion.
- **c.** ☐ devenir contrebandier.

6. Dans les expéditions, Carmen sert de

- **a.** ☐ guide.
- **b.** ☐ espion.
- **c.** ☐ chef.

7. Le mari de Carmen s'appelle

- **a.** ☐ le Dancaïre.
- **b.** ☐ García le Borgne.
- **c.** ☐ le Remendado.

Enrichissez votre vocabulaire

1 Complétez les phrases avec le mot qui convient.

1. Allons, allons nous ....
   a. promener b. promené c. promenez d. promènent
2. Un peu plus loin, elle achète un pain, ... saucisson, une bouteille de manzanilla.
   a. des b. du c. le d. une
3. Elle se met à danser et à rire comme une folle, ...
   a. chante b. chantant c. en chantant d. chantait
4. Ah ! Monsieur cette journée-là, quand .... pense.
   a. je b. j'en c. j'y d. j'
5. Il me .... aller au quartier pour l'appel.
   a. faute b. faut c. faux d. fou
6. Sais-tu mon.........., que je crois que je t'aime un peu ?
   a. fil b. fille c. fils d. filles
7. Une fois .... la rue, elle s'en va.
   a. par b. dans c. en d. pour
8. Ne faites .... pas le méchant !
   a. dont b. dans c. donc d. dons
9. C'est ainsi qu'elle me montre la .... carrière qu'elle me destine.
   a. nouveau b. nouvel c. nouvelle d. nouvelles
10. Carmen vient de faire un de ses .... tours.
    a. meilleur b. meilleure c. mieux d. meilleurs

Grammaire

Le **partitif** indique une quantité indéterminée, il exprime la partie d'un ensemble ou d'un tout. Il s'accorde en genre et en nombre avec le nom auquel il se rapporte et doit toujours être exprimé.

- **DU** devant les mots masculins qui commencent par une consonne.
- **DE LA** devant les mots féminins qui commencent par une consonne.
- **DE L'** devant les mots masculins et féminins qui commencent par une voyelle ou h muet.
- **DES** devant tous les mots qui sont au pluriel.

*Il veut **du** chocolat, **de la** confiture, **de** l'eau, **des** bonbons.*

À la forme négative, on n'utilise pas le partitif mais la préposition **DE**.

*Le matin, je **ne** bois **pas de** café, je bois du thé.*

1 Complétez les phrases avec l'article partitif.

1. Nous buvons .... bière ou .... eau.
2. Elle achète .... pommes de terre, ... oignons, ... poisson et .... viande.
3. Tu préfères boire .... champagne ou .... limonade ?
4. .... argent ? Je n'en ai pas !
5. Je prends .... gâteau avec .... crème.
6. Nous avons mangé .... croissants.
7. Elle a .... courage.
8. Il a eu .... chance.
9. Je mets .... sucre dans mon lait.
10. Il y a .... champagne dans le frigo.
11. Le matin je bois .... thé.
12. Ce soir je mange .... rôti avec .... haricot verts.

2 Répondez selon le modèle.

Exemple : Jambon / saucisson = *Tu veux* ***du*** *jambon ? Non, je ne veux pas* ***de*** *jambon, je veux* ***du*** *saucisson.*

1. Paella / gazpacho = ...
2. Eau / thé froid = ...
3. Viande / poisson = ...
4. Légumes / salade = ...
5. Crème caramel / tarte aux pommes = ...
6. Glace / fruits = ...

Production écrite et orale

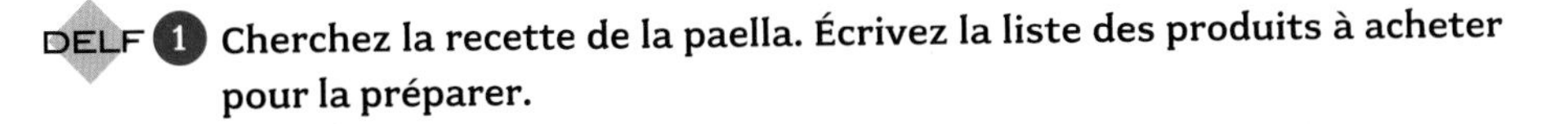

1 Cherchez la recette de la paella. Écrivez la liste des produits à acheter pour la préparer.

Pour préparer la paella, je dois acheter...

....

....

....

....

....

....

....

....

....

2 Téléphonez à un/une ami/e pour lui expliquer la recette.

Séville
la belle

7 Séville est la capitale de l'Andalousie avec 700 000 habitants. Elle se situe dans la plaine fertile du Guadalquivir, le long du fleuve du même nom.

Selon la légende, elle a été fondée par Hercule et ses origines sont liées à la civilisation de Tartessos. Son histoire suit de près la découverte de l'Amérique.

Panorama de la ville.

Casa de Pilatos.

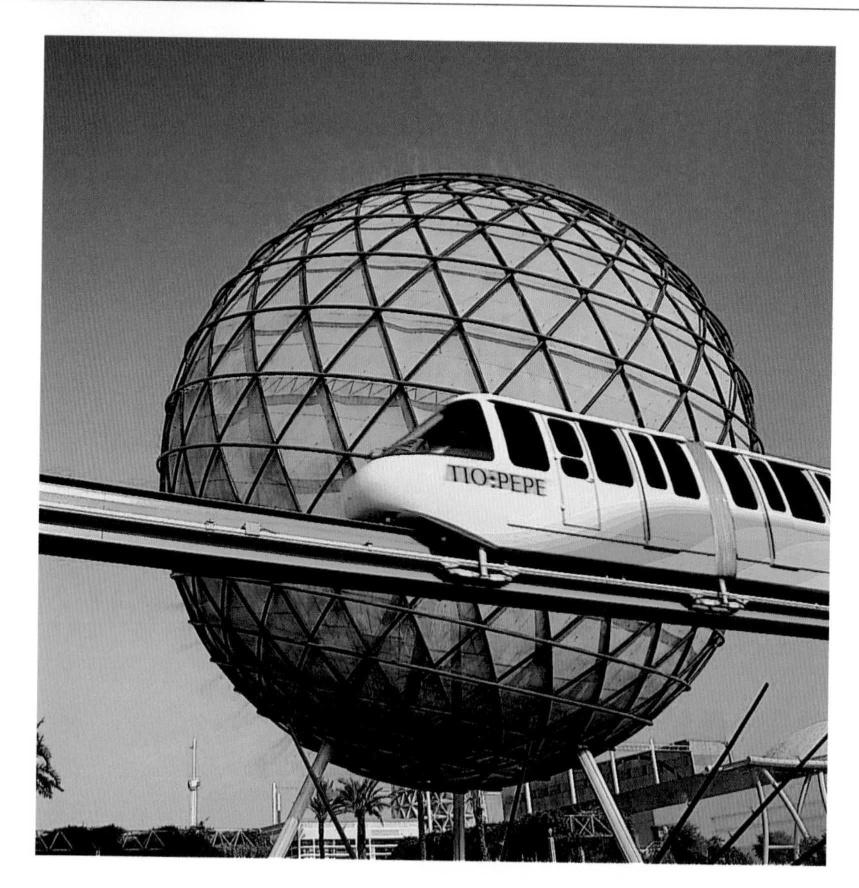

Train monorail Expo 92.

Centre administratif de l'Andalousie, elle a accueilli deux expositions, en 1929 pour la Foire ibéro-américaine et en 1992 pour l'**Exposition universelle**. La ville, point de départ de Christophe Colomb, est fière de montrer qu'elle a su allier avec brio son histoire et sa modernité.

Juste avant le Dimanche de Pâques, on célèbre la semaine sainte, **la Semana Santa,** un festival religieux où les pénitents, couverts de leurs capuchons, marchent pieds nus dans de longs cortèges suivis d'images baroques représentant la Vierge en deuil ou des scènes de la passion du Christ, entourés par une foule silencieuse.

La *Macarena*.

Cortège dans les rues de Séville.

Quinze jours après la semaine sainte, Séville l'Andalouse se prépare à fêter et vivre la **Feria de Abril,** l'ancienne « foire aux bêtes », qui est devenue, au fil des années, la fête incontournable des Sévillans et qui marque le retour du printemps. Le commerce des bestiaux a fait place au spectacle de jolies dames habillées à la façon andalouse, qui jouent leurs éventails, chevauchant derrière leur cavalier, sur de magnifiques chevaux.

La Feria de Abril.

Le soir venu, toute la ville se rend sur le champ de foire dans le quartier de Triana, pour se réunir dans des *casetas*, des abris de toile loués par de riches particuliers, où l'on mange les plats traditionnels, on boit les bons vins des terroirs espagnols et on danse les *sevillanas* jusqu'à l'aube. La Feria marque aussi le début de la saison taurine. Dans la célèbre **arène de la Maestranza**, les *toreros* manifestent leur courage sous les regards des *aficionados* pointilleux.

La Giralda.

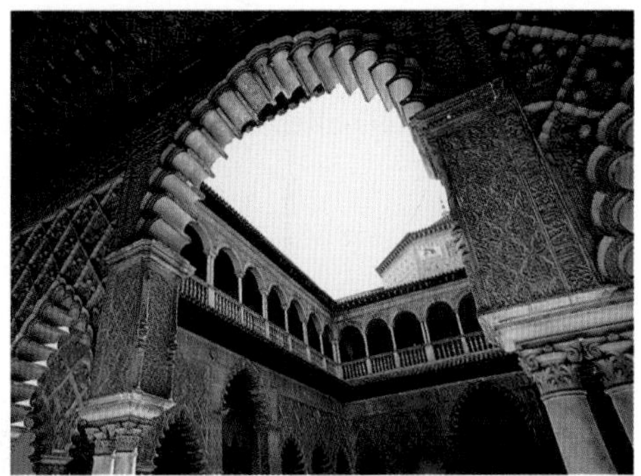

L'Alcázar.

Arène de la Maestranza.

DELF **1** **Dites si les affirmations suivantes sont vraies (V) ou fausses (F).**

		V	F
1.	Le fleuve qui traverse Séville est le Guadalaviar.	☐	☐
2.	Séville a joué un rôle important dans la découverte de l'Amérique.	☐	☐
3.	Séville n'est pas le centre administratif de l'Andalousie.	☐	☐
4.	Séville a accueilli l'Exposition universelle de 1992.	☐	☐
5.	La *Semana Santa* a lieu après Pâques.	☐	☐
6.	La *Feria de Abril* était une ancienne foire aux bêtes.	☐	☐
7.	La *Maestranza* est l'ancienne Manufacture des tabacs.	☐	☐
8.	La *Semana Santa* est un festival religieux.	☐	☐
9.	Les pénitents marchent pieds nus dans les cortèges.	☐	☐
10.	La *Feria de Abril* marque le retour du printemps.	☐	☐
11.	La Feria marque le début de la saison taurine.	☐	☐

2 **Choisissez une photo et décrivez-la.**

3 **Êtes-vous déjà allés en Espagne, à Seville ? Voudriez-vous y aller ? Pourquoi ?**

CHAPITRE **4**

En garde !

Une nuit, nous sommes assis près d'un feu et je propose à García de jouer aux cartes. Il accepte. À la seconde partie, je lui dis qu'il triche [1]. Il se met à rire. Je lui jette les cartes à la figure. Il veut prendre son espingole mais je mets le pied dessus et je lui dis :

— On dit que tu sais jouer du couteau, veux-tu t'essayer avec moi ?

Il tire son couteau, moi le mien... à un moment, j'enfonce [2]

1. **Tricher** : tromper, mentir.
2. **Enfoncer** : faire pénétrer profondément.

mon couteau dans sa gorge jusque sous son menton. C'est fini.

— Qu'as-tu fait ? me dit le Dancaïre.

— Écoute, je lui dis, nous ne pouvons pas vivre ensemble. J'aime Carmen et je veux être le seul.

— Si tu lui avais demandé Carmen, il te l'aurait vendue pour une piastre [1].

Je travaille alors avec le Dancaïre : nous faisons de la contrebande.

Pendant quelques mois, je suis content de Carmen, elle nous est utile pour nos opérations. Elle nous avertit des bons coups à faire. Elle vit soit à Malaga, soit à Cordoue, soit à Grenade.

Un jour, elle me dit :

— Sais-tu que depuis que tu es mon *rom* je t'aime moins ? Je ne veux pas être tourmentée ni surtout commandée. Ce que je veux c'est être libre et faire ce qui me plaît. Si tu m'ennuies, je trouverai quelque bon garçon qui te fera comme tu as fait au borgne.

Peu après, un malheur nous arrive. La troupe nous surprend et le Dancaïre est tué, ainsi que deux de mes camarades ; deux autres sont pris. Moi, je suis grièvement blessé et sans mon bon cheval.

Exténué de fatigue, avec une balle dans le corps, je vais me cacher dans un bois avec le seul compagnon qui me reste.

Mon camarade me porte dans une grotte que nous connaissons, puis va chercher Carmen. Pendant quinze jours, elle ne me quitte pas un instant.

1. **La piastre** : monnaie actuelle ou ancienne de divers pays.

Dès que je peux tenir sur mes jambes, elle me mène à Grenade dans le plus grand secret et je passe plus de six semaines dans une maison, à deux portes du corrégidor[1] qui me cherche.

Lors de ma convalescence, je réfléchis longuement et, une fois rétabli[2], je projette de changer de vie.

Je parle à Carmen de quitter l'Espagne et d'aller vivre honnêtement au Nouveau Monde. Elle se moque de moi.

— Nous ne sommes pas faits pour planter des choux, notre destin c'est de vivre aux dépens des *payllos*[3]. Tiens, j'ai arrangé une affaire avec Nathan Ben-Joseph de Gibraltar. Il sait que tu es vivant. Que diraient nos camarades de Gibraltar si tu manquais ta parole ?

Je me laisse entraîner et ainsi je reprends mon vilain commerce.

Pendant mon séjour à Grenade, il y a des courses de taureaux où Carmen va. En revenant, elle parle beaucoup d'un picador[4] très adroit nommé Lucas.

Quelques jours plus tard, mon camarade me dit qu'il a vu Carmen avec Lucas. Je commence à m'inquiéter. Je demande à Carmen comment et pourquoi elle a fait connaissance avec le picador.

— C'est un garçon avec qui on peut faire une affaire.

— Je ne veux ni de son argent ni de sa personne, et je te défends[5] de lui parler.

1. **Le corrégidor** : premier magistrat d'une ville espagnole.
2. **Rétabli** : guéri.
3. **Le payllo** (dans le langage des gitans) : qui n'est pas gitan.
4. **Le picador** (taurom.) : cavalier qui fatigue le taureau avec une pique.
5. **Défendre** : interdire.

— Prends garde. Lorsqu'on me défend de faire une chose, elle est bientôt faite !

Nous avons une violente dispute et je la frappe. Elle pleure. C'est la première fois que je la vois pleurer et cela me fait un effet terrible.

Je repars à Montilla, mais elle ne veut pas m'embrasser. J'ai le cœur gros [1].

Trois jours après, elle vient me trouver, gaie comme un pinson [2]. Tout est oublié et nous avons l'air d'amoureux de deux jours. Au moment de nous séparer, elle me dit :

— Il y a une fête à Cordoue et je vais la voir.

Je la laisse partir.

Un paysan me dit qu'il y a des taureaux à Cordoue. Alors je deviens fou et je pars immédiatement.

1. **Avoir le cœur gros** : être triste.
2. **Être gai comme un pinson** : être très content.

Compréhension orale

DELF **1 Écoutez l'enregistrement du chapitre et cochez la réponse exacte.**

1. Une nuit, Don José
- **a.** ☐ achète Carmen pour une piastre.
- **b.** ☐ enfonce son couteau dans la gorge de García et le blesse.
- **c.** ☐ enfonce son couteau dans la gorge de García et le tue.

2. Peu après la troupe surprend le groupe et
- **a.** ☐ tue trois personnes.
- **b.** ☐ tue cinq personnes.
- **c.** ☐ tue trois personnes et blesse Don José.

3. Don José a une balle
- **a.** ☐ dans le cœur.
- **b.** ☐ dans le corps.
- **c.** ☐ dans le cou.

4. Don José passe à Grenade plus de
- **a.** ☐ cinq semaines.
- **b.** ☐ six semaines.
- **c.** ☐ dix semaines.

5. Don José projette de
- **a.** ☐ reprendre la contrebande.
- **b.** ☐ changer de vie.
- **c.** ☐ planter des choux.

2 Écoutez à nouveau le début du chapitre jusqu'à ... « qui me cherche ». Cochez les phrases que vous entendez.

1. **a.** ☐ Une nuit nous sommes assis près d'un jeu.
- **b.** ☐ Une nuit nous sommes assis près d'un feu.

2. a. ☐ Peu après un bonheur nous arrive.
   b. ☐ Peu après un malheur nous arrive.
3. a. ☐ Moi, je suis gravement blessé.
   b. ☐ Moi, je suis grièvement blessé.
4. a. ☐ Je vais me cacher dans un coin.
   b. ☐ Je vais me cacher dans un bois.

Enrichissez votre vocabulaire

1 Trouvez l'expression équivalant à celle qui est soulignée.

1. À la seconde partie, je lui dis qu'il triche.
   a. dissimule **b.** ment **c.** truque
2. Je ne veux pas être tourmentée.
   a. préoccupée **b.** énervée **c.** irritée
3. Et après un malheur nous arrive.
   a. ruine **b.** adversité **c.** chagrin
4. Lors de ma convalescence, je réfléchis longuement.
   a. réfracte **b.** pense **c.** fais attention
5. Et ainsi je reprends mon vilain commerce.
   a. rapport **b.** relations **c.** trafic
5. Je commence à m'inquiéter.
   a. m'alarmer **b.** m'ennuyer **c.** m'effrayer
6. Nous avons eu une violente dispute.
   a. extrême **b.** vive **c.** spontanée

2 Mettez une croix dans la case qui convient.

Il commence à chanter d'un air mélancolique et bizarre.

	Qui a des réactions ou des attitudes	
	imprévues	anormales
capricieux		
bizarre		

	Nostalgie	Mélancolie
Regret d'une chose révolue		
État de tristesse accompagné de rêverie		

Antonio monte sur son cheval et disparaît dans l'obscurité.

	absence	
	presque complète	complète
	de lumière	
obscurité		
ténèbres		

Je ne veux pas être tourmentée...

	Qui a souffert	
	physiquement	moralement
tourmenté		
torturé		

Grammaire

Discours direct et discours indirect

Le ***discours direct*** rapporte textuellement les paroles ou les pensées de quelqu'un. Il est généralement introduit par des guillemets :

Elle me dit : « Demain, il y a une fête à Cordoue et je vais la voir. »

Le discours indirect rapporte ces mêmes paroles à travers un narrateur, sans guillemets :

*Elle me dit **qu'**il y **aura** une fête à Cordoue et **qu'elle ira** la voir.*

Le passage du discours direct au discours indirect demande des modifications :

1. La phrase directe devient une subordonnée complétive.
2. Les temps des verbes subissent des modifications.
3. Les pronoms personnels sujets sont modifiés.
4. Certains adverbes de lieu et de temps subissent aussi des modifications.

1 Transformez les phrases suivantes en utilisant le discours indirect.

1. « Sais-tu que depuis que tu es mon rom je t'aime moins ? »
2. « Je ne veux pas être tourmentée ni surtout commandée. »
3. « Je ne veux ni de son argent ni de sa personne et je te défends de lui parler. »
4. « Il y a une fête à Cordoue et je vais la voir. »

2 Le jeu du sourd.
Vous êtes sourd, à chaque question que votre copain de gauche vous pose vous dites à votre copain de droite : « Qu'est-ce qu'il dit ? » et il vous répond.

Exemple : élève 1. Ce soir, je vais au cinéma.
élève 2. *Qu'est-ce qu'il dit ?*
élève 3. Il dit que ce soir il ira au cinéma.

CHAPITRE **5**

Dans une gorge solitaire

On me montre Lucas, et sur le banc contre la barrière, je reconnais Carmen. Il me suffit de la voir une minute pour être sûr de mon fait.

Lucas, au premier taureau, fait le joli cœur [1], il arrache la cocarde du taureau et la porte à Carmen. Peu après, le taureau se charge de me venger. Je regarde Carmen, elle n'est plus à sa place. Mais je suis obligé d'attendre la fin des courses pour sortir. Alors je vais à la maison que vous connaissez. Vers deux heures du matin, Carmen revient : elle est un peu surprise de me voir.

1. **Faire le joli cœur** : impressionner.

— Viens avec moi, lui dis-je.

— Eh bien ! dit-elle. Partons.

Je vais prendre mon cheval, je la mets en croupe [1] et nous marchons tout le reste de la nuit sans dire un mot. Nous nous arrêtons au jour dans une *venta* isolée près d'un petit ermitage. Là, je dis à Carmen :

— Écoute, j'oublie tout. Je ne te parlerai de rien ; mais jure-moi une chose ; c'est que tu vas me suivre en Amérique.

— Non, dit-elle, je ne veux pas aller en Amérique, je suis bien ici.

— C'est parce que tu es près de Lucas, mais réfléchis bien, s'il guérit, ce ne sera pas pour faire de vieux os [2]. Au reste, pourquoi m'en prendre à lui ? Je suis las [3] de tuer tous tes amants : c'est toi que je tuerai.

Elle me regarde fixement de son regard sauvage et me dit :

— J'ai toujours pensé que tu me tuerais. La première fois que je t'ai vu, je venais de rencontrer un prêtre à la porte de ma maison. Et cette nuit, en sortant de Cordoue, n'as-tu rien vu ? Un lièvre [4] a traversé le chemin entre les pieds de ton cheval. C'est écrit.

— Carmencita, est-ce que tu ne m'aimes plus ?

Elle ne répond rien.

— Changeons de vie, Carmen. Allons vivre quelque part où nous ne serons jamais séparés. Tu sais que nous avons près d'ici, sous un chêne [5], cent vingt onces [6] enterrées... puis nous avons des fonds encore chez le juif Ben-Joseph.

Elle se met à sourire, et me dit :

1. **En croupe** : derrière.
2. **Faire de vieux os** : vieillir.
3. **Las** : fatigué moralement.
4. **Le lièvre** :

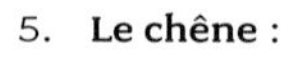

5. **Le chêne** :
6. **L'once** : ancienne mesure de poids.

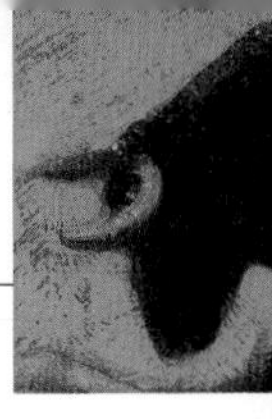

— Moi d'abord, toi ensuite, je sais bien que cela doit arriver ainsi.

— Réfléchis. Je suis au bout de ma patience et de mon courage. Prends ton parti [1] ou je prendrai le mien.

Je la quitte et je vais me promener du côté de l'ermitage.

Quand je reviens, j'espère que Carmen ne sera plus là... elle aurait pu prendre mon cheval et se sauver... mais je la retrouve. Elle est si occupée à sa magie qu'elle ne s'aperçoit pas de mon retour. Tantôt elle prend un morceau de plomb et le tourne de tous les côtés d'un air triste, tantôt elle chante quelques-unes de ses chansons magiques.

— Carmen, veux-tu venir avec moi ?

Elle se lève, met sa mantille sur sa tête, comme prête à partir. On m'amène mon cheval, elle monte en croupe et nous partons.

— Ainsi, lui dis-je, ma Carmen, après un bout de chemin, tu veux bien me suivre, n'est-ce pas ?

— Je te suis à la mort, oui, mais je ne vivrai plus avec toi.

Nous sommes dans une gorge solitaire ; j'arrête mon cheval.

— Est-ce ici ? dit-elle.

Elle se met à terre et me dit, en me regardant fixement :

— Tu veux me tuer, je le vois bien, dit-elle, mais tu ne me feras pas céder.

— Je t'en prie, lui dis-je. Sois raisonnable. Tout le passé est oublié. Pourtant, tu le sais, c'est toi qui m'as perdu. C'est pour toi que je suis devenu un voleur et un meurtrier. Carmen ! Ma Carmen ! Laisse-moi te sauver et me sauver avec toi !

— José, répond-elle, tu me demandes l'impossible. Je ne t'aime plus, toi, tu m'aimes encore et c'est pour cela que tu veux me tuer. Tout est fini entre nous. Carmen sera toujours libre. *Calli* [2]

1. **Prendre son parti** : choisir.
2. **Calli** : gitane.

elle est née. *Calli* elle mourra.

— Tu aimes donc Lucas ?

— Oui, je l'ai aimé. À présent, je n'aime plus rien, et je me hais pour t'avoir aimé.

Je me jette à ses pieds, je lui prends les mains et je les arrose de mes larmes. Je lui rappelle tous les moments de bonheur que nous avons passés ensemble. Je lui offre de rester brigand pour lui plaire.

Elle me dit :

— T'aimer encore c'est impossible. Vivre avec toi, je ne le veux pas.

La fureur me possède. Je tire mon couteau.

— Pour la dernière fois. Veux-tu rester avec moi ?

— Non ! Non ! Non ! dit-elle en frappant du pied. Et elle tire de son doigt une bague que je lui avais donnée et la jette dans les broussailles [1].

Je la frappe deux fois, avec le couteau du borgne. Elle tombe au second coup sans crier. Je crois voir encore son grand œil noir me regarder fixement ; puis il devient trouble et se ferme... Je reste anéanti une bonne heure devant le cadavre. Puis, je me rappelle que Carmen m'avait dit plusieurs fois qu'elle voulait être enterrée dans un bois. Je creuse [2] une fosse et je la dépose. Je cherche longtemps sa bague et finalement je la trouve. Je la mets dans la fosse auprès d'elle avec une petite croix.

Ensuite, je monte à cheval et je pars pour Cordoue, et au premier corps de garde je me fais connaître... Je dis que j'ai tué Carmen ; mais je ne veux pas dire où est son corps.

1. **Broussaille** : végétation composée d'arbustes.
2. **Creuser** : faire un trou.

Compréhension orale

DELF **1 Écoutez l'enregistrement du chapitre et cochez la réponse exacte.**

1. Vers deux heures du matin Carmen revient et elle
- **a.** ☐ est contente de voir Don José.
- **b.** ☐ est malheureuse de voir Don José.
- **c.** ☐ est surprise de voir Don José.

2. Ils marchent à cheval toute la nuit et au jour ils s'arrêtent
- **a.** ☐ près d'un petit ermitage.
- **b.** ☐ devant une plaine.
- **c.** ☐ devant un village.

3. Carmen regarde fixement Don José et lui dit :
- **a.** ☐ « La première fois que je t'ai vu je venais de rencontrer un lièvre. »
- **b.** ☐ « La première fois que je t'ai vu je venais de rencontrer un cheval. »
- **c.** ☐ « La première fois que je t'ai vu je venais de rencontrer un prêtre. »

4. Don José quitte Carmen et va se promener
- **a.** ☐ du côté du village.
- **b.** ☐ du côté de l'ermitage.
- **c.** ☐ du côté de la *venta*.

5. Carmen jette la bague que Don José lui avait offerte dans
- **a.** ☐ la rivière.
- **b.** ☐ les broussailles.
- **c.** ☐ le ruisseau.

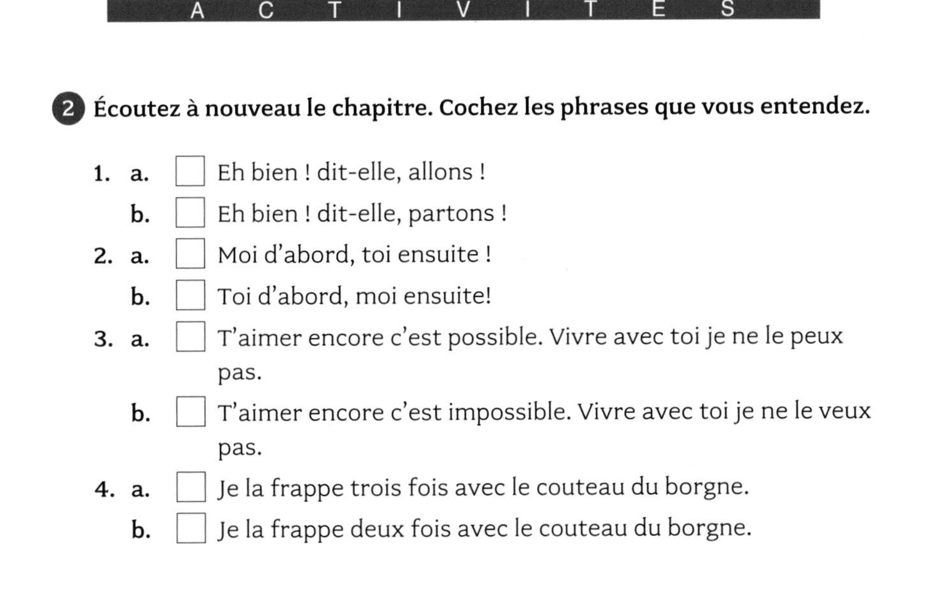

2 Écoutez à nouveau le chapitre. Cochez les phrases que vous entendez.

1. **a.** ☐ Eh bien ! dit-elle, allons !
   b. ☐ Eh bien ! dit-elle, partons !
2. **a.** ☐ Moi d'abord, toi ensuite !
   b. ☐ Toi d'abord, moi ensuite!
3. **a.** ☐ T'aimer encore c'est possible. Vivre avec toi je ne le peux pas.
   b. ☐ T'aimer encore c'est impossible. Vivre avec toi je ne le veux pas.
4. **a.** ☐ Je la frappe trois fois avec le couteau du borgne.
   b. ☐ Je la frappe deux fois avec le couteau du borgne.

Enrichissez votre vocabulaire

1 Lisez le texte et choisissez le mot convenable (A, B, C, ou D) pour chaque espace.

1 .... je reviens, j'espère que Carmen ne sera plus là... elle aurait pu prendre mon cheval et se sauver... **2** .... je la retrouve. Elle est si occupée à sa magie qu'elle ne s'aperçoit pas de mon retour. Tantôt elle prend un morceau de plomb et le tourne de tous les côtés d'un air triste, tantôt elle chante quelques-unes de ses chansons magiques.
— Carmen, veux-tu venir avec moi ?
Elle se lève, met sa mantille sur sa tête, comme prête à partir. On m'amène mon cheval, elle monte **3** .... croupe et nous partons.
— Ainsi, lui dis-je, ma Carmen, après un **4** .... de chemin, tu veux bien me suivre n'est-ce pas ?
— Je te suis à la mort, oui, mais je ne vivrai plus avec toi.
Nous sommes dans une gorge solitaire ; j'arrête mon cheval.
— Est-ce ici ? dit-elle.
D'un bond, elle se met à terre et me dit, **5** .... fixement :
— Tu veux me **6** .... , je le vois bien, dit-elle, mais tu ne me feras pas céder.
— Je t'en prie, lui dis-je. Sois **7** .... Tout le passé est oublié. Pourtant,

tu le sais, c'est toi qui m'as perdu. C'est pour toi que je suis devenu un voleur et un meurtrier. Carmen ! Ma Carmen ! Laisse-moi te sauver et me sauver avec toi !

— José, répond-elle, tu me demandes l' **8** .... Je ne t'aime plus, toi, tu m'aimes encore et c'est pour cela que tu veux me tuer. Tout est fini entre nous. Carmen sera toujours libre. Calli elle est née. Calli elle mourra.

— Tu aimes **9** .... Lucas ?

— Oui, je l'ai aimé. À présent, je n'aime plus rien, et je me **10** .... pour t'avoir aimé.

1	**A** lorsque	**B** au moment où	**C** quand	**D** depuis que
2	**A** cependant	**B** mais	**C** en revanche	**D** toutefois
3	**A** à	**B** sur	**C** entre	**D** en
4	**A** morceau	**B** but	**C** fragment	**D** bout
5	**A** regardant	**B** me regardant	**C** en me regardant	**D** en regardant
6	**A** massacrer	**B** exterminer	**C** tuer	**D** décimer
7	**A** prudente	**B** avisée	**C** raisonnable	**D** avertie
8	**A** irréalisable	**B** insensé	**C** inadmissible	**D** impossible
9	**A** ainsi	**B** par conséquent	**C** donc	**D** en conclusion
10	**A** abhorre	**B** déteste	**C** hais	**D** méprise

Grammaire

Le futur proche et le passé récent

Le ***futur proche*** est utilisé pour indiquer une action qui se produit dans peu de temps. Il se construit avec le verbe ***aller*** + ***infinitif*** :

*Il **va tuer** Carmen. (= il la tuera dans quelques minutes)*

Dans la langue courante, le futur proche peut aussi remplacer le futur simple :

*Cet été, je **vais partir** au Brésil.*

Il existe également le ***futur imminent***, qui se construit avec la forme ***être sur le point de*** + ***infinitif*** :

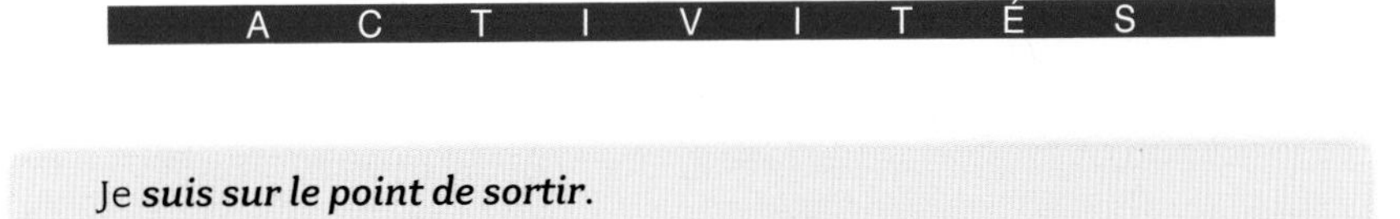

Je ***suis sur le point de sortir***.

Le ***passé récent*** est utilisé pour indiquer une action qui s'est produite il y a peu de temps. Il se construit avec le verbe ***venir de*** + ***infinitif*** :

*Il **vient de tuer** Carmen. (= il l'a à peine tuée)*

Production écrite

DELF **1** **Vous écrivez une carte postale à votre amie pour lui raconter tout ce que vous venez de faire pendant les vacances de Pâques.**

Lima, le 5 Avril

Chère Jacqueline,

Je viens de visiter ....

À bientôt

Production orale

DELF **1** **À votre retour, vous téléphonez à Jacqueline pour lui raconter quels sont vos projets pour le troisième trimestre.**

La *corrida*

10 La corrida est un spectacle au cours duquel des taureaux sont mis à mort.

Le déroulement de la corrida moderne

La corrida atteint sa forme définitive dès le XVIIIe siècle. Elle devient moins violente. L'exécution finale se fait à l'épée. Les chevaux sont protégés.

Le combat se déroule pour chaque taureau en trois tiers, les *tercios*, de cinq minutes chacun.

La corrida commence au moment où le président en donne le signal. Annoncés par une trompette, deux cavaliers entrent alors dans l'arène. Derrière eux, au son d'un allègre *paso doble*, apparaît la procession des *toreros* qui exécutent la parade du *paseo*. Les *matadors* viennent en premier, suivis de leurs *cuadrillas* respectives (leur équipe d'auxiliaires, composée de trois *banderilleros* et de deux *picadores*).

La passe essentielle est la véronique, où le *matador* donne le rythme qui régularise la charge du taureau. Les autres passes sont des démonstrations esthétiques.

La musique accompagne la corrida, sauf lors de la mise à mort du taureau. On entend notamment les airs de *Carmen*.

1er *tercio* : le *picador* sur son cheval pique le taureau.

2e *tercio* : les poseurs de banderilles (pique de bois de 70 cm munie d'une pointe de fer en forme de harpon qui est posée par paires) entrent en scène.

3e *tercio* : c'est le point culminant de la corrida, le moment d'immortalité du *matador*, l'exécution du taureau.

Si le combat a été honorable, le public acclame le *torero* et peut lui accorder une oreille, deux oreilles ou même la queue, si le combat a été exceptionnel.

Le poids minimum d'un taureau, pour une arène de la dimension de la Plaza de Toros de Madrid, est de 469 kg et il doit avoir 5 ans minimum.

Les passionnés de tauromachie s'appellent des *aficionados*. Le public participe activement à la corrida. C'est lui qui pousse le président de la corrida à donner une récompense au *torero*.

Les arènes

Le lieu de la corrida, c'est d'abord l'Espagne.

Dès le début du XVIIIe siècle, la construction des arènes est jugée préférable à l'utilisation des cirques antiques, peu pratiques. On les édifie à Séville en 1740, à Madrid en 1749, à Saragosse en 1764, à Ronda en 1784. Elles jouent un grand rôle dans la mise en ordre du

spectacle. Une barrière sépare la piste des tribunes. Les gradins sont circulaires. Les arènes sont en forme d'ellipse pour ne pas donner d'angle de refuge au taureau.
Aujourd'hui encore, il existe une différenciation sociale : les places à l'ombre sont plus chères que les places au soleil.
Les corridas sont à l'origine de fêtes. La *feria* et la corrida sont inséparables.

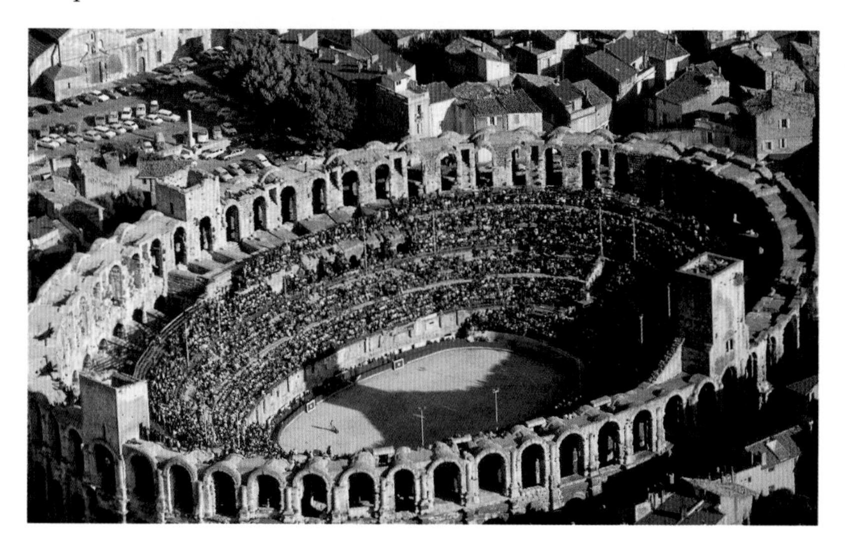

Les Arènes d'Arles.

En France et ailleurs

Il existe aussi des corridas dans le Sud de la France, en particulier dans les arènes d'Arles, de Nîmes, de Béziers, de Dax et de Bayonne. C'est là aussi l'occasion de grandes *ferias* qui attirent beaucoup de monde.
En France, la mise à mort du taureau n'est autorisée que dans les lieux où la tradition remonte à plus de cent ans (Arles et la Camargue, Dax, Bayonne).

Il existe différents types de corrida :

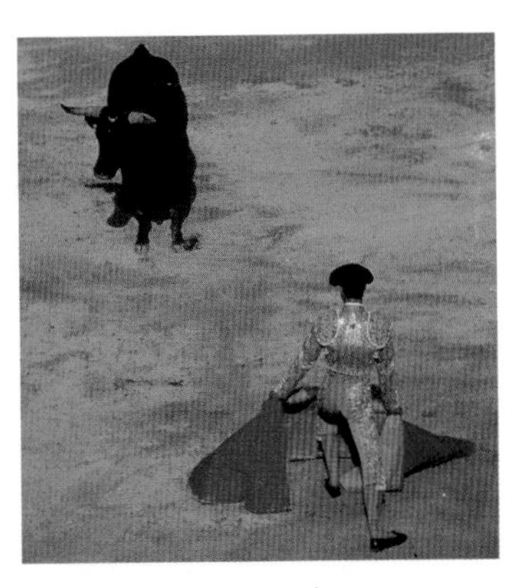

- au Portugal, on pratique la corrida à cheval, sans mise à mort en public.
- en Camargue, le but des courses camargaises est de retirer les cocardes accrochées sur la tête du taureau. Ces cocardes ont des prix donnés par le public.
- dans la corrida landaise, les toreros sautent par-dessus le taureau.
- dans le Pays Basques, lors de la *Forcados*, le taureau est mis par terre à mains nues.

DELF **1** **Dites si les affirmations suivantes sont vraies (V) ou fausses (F).**

		V	F
1.	La corrida atteint sa forme définitive au XVIIIe siècle.	☐	☐
2.	Le combat se déroule en trois tiers.	☐	☐
3.	Chaque *tercio* dure quinze minutes.	☐	☐
4.	La corrida commence quand le torero le décide.	☐	☐
5.	Il n'y a jamais de musique durant la corrida.	☐	☐
6.	La passe essentielle s'appelle la véronique.	☐	☐
7.	Le *picador* est à pied.	☐	☐
8.	Le public participe activement à la corrida.	☐	☐
9.	La construction des arènes remonte au XVIIIe siècle.	☐	☐
10.	Dans les arènes, les places au soleil sont plus chères que les places à l'ombre.	☐	☐
11.	La feria accompagne toujours la corrida.	☐	☐
12.	Il existe des corridas dans le Sud de la France.	☐	☐
13.	En France, la mise à mort n'est jamais autorisée.	☐	☐

CARMEN

De la nouvelle au livret

Opéra-comique en quatre actes
tiré de la nouvelle de

Prosper Mérimée

par

Henry Meilhac

et

Ludovic Halévy

Musique de

Georges Bizet

Personnages

Carmen
Don José
Escamillo
Micaëla
Frasquita
Mercédès
Zuñiga
Dancaire
Lillas Pastia
Remendado
Moralès

11 **Henry Meilhac** (Paris, 1831-1897) et **Ludovic Halévy** (Paris, 1834-1908) sont des auteurs dramatiques français qui ont écrit de nombreux opéras bouffes dont Offenbach composa la musique, pendant les années les plus brillantes du Second Empire.

Georges Bizet (1838-1875)

Georges Bizet
par Albert Eichon.

Sa vie, son œuvre

Georges Bizet naît à Paris en 1838, dans une famille de musiciens. Il entre à neuf ans au Conservatoire et se distingue pour son talent précoce. Après de brillantes études, il se voit attribuer le premier prix de Rome en 1857. Ce compositeur est surtout connu pour ses opéras et opéras-comiques, en particulier *Les Pêcheurs de perles*, *La Jolie Fille de Perth*, *Djamileh* et surtout *Carmen*, opéra-comique composé en 1875, quelques mois avant sa mort, et considéré comme son chef-d'œuvre.

Il convient de retenir aussi *La Symphonie en ut* et *Jeux d'enfants*, douze pièces pour piano à quatre mains, ainsi que la célèbre musique de scène de *L'Arlésienne*.

Carmen

Le livret de l'opéra-comique *Carmen* a été écrit par les librettistes Meilhac et Halévy d'après la nouvelle de Prosper Mérimée ; Georges Bizet, lui, en a composé la musique.

Représentée pour la première fois en 1875, *Carmen* connaît tout d'abord un maigre succès, mais elle devient par la suite une des œuvres lyriques françaises les plus populaires.

Carmen marque une rupture avec la tradition du mélodrame français pour plusieurs raisons : pas de dénouement heureux comme le veut l'opéra-comique, un réalisme inattendu, la figure « particulière » de la protagoniste.

De la nouvelle au livret

Les deux librettistes ont modifié la nouvelle pour la rendre plus conforme aux règles du théâtre ; ils ont atténué les teintes fortes de la nouvelle comme les épisodes sanglants, cruels ou trop sensuels ; certains personnages ont disparu, d'autres, comme le torero Escamillo et Micaëla, ont fait leur apparition. Mais à vous de découvrir ce qui différencie la nouvelle du livret.

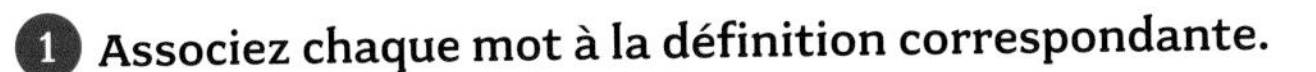

A C T I V I T É S

Et maintenant nous allons étudier l'opéra !
Mais avant, il faut s'habituer au vocabulaire.

1 Associez chaque mot à la définition correspondante.

1. ☐ opéra-comique ☐ opéra
☐ grand opéra ☐ opérette

a. Ouvrage dramatique mis en musique, sans dialogue parlé, composé de récitatifs, d'airs, de chœurs et parfois de danses avec accompagnement d'orchestre.

b. Ouvrage dramatique, de sujet tragique, mis en musique, sans dialogue parlé, composé de récitatifs, d'airs, de chœurs et parfois de danses avec accompagnement d'orchestre.

c. Drame lyrique généralement sans récitatif, composé d'airs chantés avec accompagnement orchestral, alternant parfois avec des dialogues parlés.

d. Petit opéra comique dont le sujet et le style, légers et faciles, sont empruntés à la comédie.

2. ☐ chorégraphie ☐ chœur ☐ prima donna
☐ diva ☐ petit rat

a. Cantatrice de renom.

b. Première et principale chanteuse d'un opéra.

c. Jeune danseuse/danseur, élève de la classe de danse, employé(e) dans la figuration.

d. Art de décrire une danse sur le papier au moyen de signes spéciaux.

e. Réunion de personnes qui exécutent un morceau d'ensemble.

3. ☐ parterre ☐ scène ☐ succès ☐ applaudir
☐ coulisses ☐ prélude ☐ public ☐ rideau
☐ partenaire ☐ ovation

a. Manifestation bruyante d'approbation.

b. Le fait de plaire.

c. Partie du rez-de-chaussée d'une salle de théâtre.

d. Introduction symphonique d'un opéra.

e. Personne associée à une autre pour la danse, par exemple.
f. Grande draperie à plis qui sépare la scène de la salle.
g. Partie du théâtre située sur les côtés et derrière la scène.
h. L'ensemble des gens qui voient les spectacles.
i. Battre les mains en signe d'approbation ou d'admiration.
j. L'emplacement où les acteurs paraissent devant le public.

2 Complétez le texte suivant à l'aide des mots que vous venez d'étudier.

Le **1** .... se lève, on entend le **2** .... de l' **3** .... *Carmen*. Le **4** .... est silencieux.
Dans les **5** ...., la **6** .... doit se concentrer et avoir dans sa tête toute la mélodie, tous les mots et tous les gestes. Son cœur bat très fort, elle est sur le point de sortir sur **7** ....
Elle regarde avec inquiétude derrière le **8** ....
Au fur et à mesure que les actes se déroulent, les spectateurs sont de plus en plus étonnés.
La **9** .... exprime avec passion les sentiments de Carmen.
Son **10** .... Don José aussi. La **11** .... des danseurs est magnifique.
Le **12** .... qui exécute les morceaux d'ensemble est le meilleur du pays.
Puis c'est l'explosion finale, le **13** .... **14** .... avec enthousiasme. Encore une fois, Carmen a eu un **15** .... sans précédent.

L’Opéra *Garnier*

Jean-Louis Charles Garnier
(1860) par Nadar.

Le théâtre de l’Opéra est un monument de Paris ainsi que le siège de l’Académie Nationale de musique et de danse.
L’édifice a été érigé sous Napoléon III, de 1852 à 1875, par Charles Garnier, qui a 35 ans quand il gagne le concours lancé en 1860 pour la construction de l’Opéra. C’est le plus grand théâtre lyrique du monde par sa superficie (env. 11 000 m^2).
Le grand théâtre lyrique est inauguré en 1875, sous la Troisième République.

Caractéristique du style du Second Empire, imposant, somptueux, de style néo-baroque par sa décoration fastueuse, c'est le monument le plus représentatif du Second Empire.
Le plan architectural de l'Opéra est un des nombreux projets du baron Haussmann.
L'Opéra était un lieu de rencontre pour les membres de la cour impériale et de la haute bourgeoisie.
L'Opéra domine la place qui porte son nom. Le premier niveau de la façade est formé de sept arcades ornées de nombreuses statues. Le groupe original de « La danse » de Carpeaux a été remplacé par une copie et est exposé au Musée d'Orsay.
À l'intérieur, un grand escalier monumental en marbre blanc, rouge et vert mène au foyer. Le plafond de la salle de représentation a été peint par Chagall en 1964.

Compréhension écrite

DELF **1 Lisez le texte et répondez aux questions suivantes.**

1. Qu'est-ce que le théâtre de l'Opéra ?
   ....
2. Qui est au pouvoir à l'époque de sa construction ?
   ....
3. Quel est son style ?
   ....
4. Pour qui l'Opéra était-il un lieu de rencontre ?
   ....
5. Par qui et quand a été peint le plafond de la salle de représentation ?
   ....

Résumé de l'opéra

Premier acte

Une place de Séville

Une fille de la Navarre, Micaëla, s'approche du corps de garde et demande à parler au brigadier Don José, un compagnon d'enfance à qui elle est fiancée. On lui dit de revenir plus tard pour le changement de la garde. À ce moment-là, les cigarières sortent de la manufacture et se mêlent aux soldats. Parmi elles se trouve Carmen, une belle bohémienne, qui est aussitôt courtisée et entourée d'hommes. Mais la jeune Carmen a remarqué Don José et, après avoir chanté et dansé une chanson provocante, elle lui jette la fleur qu'elle porte dans son corsage. Don José se laisse prendre à son charme.
Peu après, revient Micaëla qui apporte à son fiancé des nouvelles et une lettre de sa mère. Le jeune homme, ému, est sur le point d'oublier l'incident avec la belle gitane, quand on entend un vacarme effroyable dans la manufacture. C'est Carmen qui, au cours d'une dispute, a blessé une de ses camarades. Zuñiga, l'officier de service, la fait arrêter et la confie à Don José pour qu'il la conduise en prison. Mais Carmen, une fois seule avec lui, le séduit afin d'obtenir la liberté. Il accepte même un rendez-vous à l'auberge de Lillas Pastia. Carmen réussit à s'enfuir.

Deuxième acte

L'auberge de Lillas Pastia

Carmen chante et danse pour un groupe d'officiers. Parmi eux se trouve Zuñiga, qui a fait arrêter Don José et qui maintenant fait partie, lui aussi, du groupe de prétendants de Carmen. À ce moment-là, entre le torero Escamillo, suivi de ses admirateurs. Il tombe également amoureux de Carmen, mais sans succès. Après le départ du torero et des officiers, le Dancaïre et le Remendado, deux contrebandiers de la bande dont fait partie Carmen, essaient de la persuader de reprendre la contrebande, mais Carmen refuse : elle attend Don José. C'est ce soir-là qu'il doit sortir de prison, arrêté pour avoir consenti à sa fuite. Don José arrive : Carmen danse et chante pour lui et l'oblige à rester, quand il voudrait rentrer à la caserne pour l'appel. Elle l'invite à rejoindre les contrebandiers dans la montagne. Arrive alors Zuñiga, qui, irrité de les voir ensemble, ordonne à Don José de partir. Celui-ci refuse et tire son épée, les contrebandiers interviennent et obligent les officiers à sortir. Il ne reste donc plus à Don José qu'à suivre les contrebandiers sur la montagne avec Carmen.

Troisième acte

Un long voyage dans la montagne

Il fait nuit. À côté des feux du bivouac, quelques bohémiens dorment. Don José, inquiet, pense à sa mère, plein de remords. Carmen s'est déjà lassée de lui et pense à Escamillo comme son nouvel amant. Des pressentiments obscurs agitent l'âme de la gitane, elle essaie de lire son destin dans les cartes avec ses amies Frasquita et Mercedès. Elle se sent dominée par un destin fatal et ne veut rien faire pour s'y opposer. Don José, qui aime Carmen à la folie et qui a brisé sa vie pour elle, a une violente dispute avec Escamillo, qui est venu dans la montagne pour la voir. Les deux hommes se battent le couteau à la main. Carmen les sépare. Escamillo s'éloigne, méprisant et fier.
Micaëla, cachée dans les broussailles, a tout vu et supplie son fiancé de la suivre, car sa mère est mourante et réclame son fils. Don José suit Micaëla, déchiré par la douleur et la jalousie.

Quatrième acte

Une place de Séville près de l'arène

Les gens acclament Escamillo qui se rend à la corrida. Le torero arrive, accompagné de Carmen, magnifiquement habillée. Frasquita et Mercedès mettent en garde leur amie contre Don José, qu'elles ont vu près de l'arène. Mais Carmen, qui n'a pas peur de son ancien amant, reste seule avec lui et lui montre tout son mépris. C'est en vain que le jeune homme lui montre de nouveau sa passion et sa jalousie, la suppliant de revenir avec lui. Carmen refuse : tout est fini désormais entre eux. Elle jette à ses pieds une bague qu'il lui avait donnée. Fou de douleur, Don José se lance sur elle et la poignarde.
De l'arène, on entend les acclamations pour la victoire d'Escamillo, tandis que Don José pleure sur le corps de sa bien-aimée.

Actes 1 et 2

Lisez le résumé du premier et deuxième acte et faites les exercices suivants :

1 Lisez les informations ci dessous. Reliez le début avec la fin de chaque phrase et remettez les phrases formées suivant l'ordre de l'histoire.

1. À ce moment-là, les cigarières sortent de la manufacture
2. Mais la jeune Carmen a remarqué Don José
3. Parmi elles se trouve Carmen, une bohémienne
4. Une fille de la Navarre, Micaëla,
5. On lui dit de revenir plus tard

a. ☐ pour le changement de la garde.
b. ☐ et se mêlent aux soldats.
c. ☐ et elle lui jette la fleur qu'elle porte dans son corsage.
d. ☐ s'approche du corps de garde et demande à parler au brigadier Don José, un compagnon d'enfance à qui elle est fiancée.
e. ☐ qui est aussitôt courtisée et entourée d'hommes par sa beauté.

A .... B .... C ....
D .... E ....

2 Trouvez des synonymes.

1. fabrique = ...
2. gitane = ...
3. tardivement = ...
4. confrère = ...
5. flattée = ...

Enrichissez votre vocabulaire

 **Dans chacune des phrases suivantes, remplacez le mot souligné avec le mot correct de la liste suivante.**

A drôles de **B** chez nous **C** gamins
D jamais **E** embarrassée **F** cependant
G groupe **H** malgré moi

1. ☐ Charmantes gens, que ces gens-là !
2. ☐ Micaëla apparaît railleuse, elle regarde les soldats.
3. ☐ Voulez-vous prendre la peine d'entrer dans notre quartier un instant ?
4. ☐ Je n'en doute pas, pourtant...
5. ☐ Les passants forment un cercle pour assister à la parade.
6. ☐ Des petits garçons entrent en courant de tous les côtés.
7. ☐ C'était à contrecœur que j'ai dû quitter le pays.
8. ☐ Quand je vous aimerai ? Peut-être à aucun moment. Peut-être demain.

Production orale

DELF **1** **Que représente pour vous l'amour ? Pouvez-vous décrire ce sentiment ? Exprimez votre pensée / votre opinion.**

....

....

....

2 **Comment imaginez-vous Carmen ?**

....

....

....

DELF **3** **Croyez-vous que la bonté soit plus attrayante que la méchanceté ou le contraire ?**
Expliquez votre point de vue.

....

....

....

Grammaire

1 **Choisissez la réponse correcte.**

Carmen chante et danse *pour / dans / par* un groupe d'officiers. *Entre / Parmi / Pour* eux se trouve Zuñiga *que / qui / dont* a fait arrêter Don José et qui maintenant fait partie, lui aussi, *des / de / du* groupe de prétendants de Carmen. À ce moment-là entre le torero Escamillo, suivi de ses admirateurs. Il tombe également amoureux de Carmen, mais sans succès. Après le départ du torero et des officiers, le Dancaïre et le Remendado, deux contrebandiers de la bande *donc / dans / dont* fait partie Carmen, essaient de la persuader de reprendre la contrebande, mais Carmen refuse : elle attend Don José. C'est ce soir-là qu'il doit sortir de prison, arrêté pour avoir consenti à sa fuite. Don José arrive : Carmen danse et chante *pour / dans / par* lui et l'oblige à rester, *dès / quand / depuis* il voudrait rentrer à la caserne pour l'appel. Elle l'invite à joindre les contrebandiers dans la montagne. Arrive *en / alors / y* Zuñiga, qui, irrité de les voir ensemble, ordonne à Don José de partir. Celui-ci refuse et tire son épée, les contrebandiers interviennent et obligent les officiers à sortir. Il ne reste *dont / dans / donc* plus à Don José qu'à suivre les contrebandiers dans la montagne avec Carmen.

2 **À l'aide des informations ci-dessous, rédigez une présentation de la vie de Georges Bizet. Utilisez le passé composé.**

1838 — Naissance de Georges Bizet à Paris
1848 — Entrée au Conservatoire
1857 — Grand Prix de Rome
1872 — *l'Arlésienne*
1874 — *Carmen*
1875 — Mort de Georges Bizet

....

....

....

....

....

....

Compréhension écrite

1 **Lisez ce texte que l'on trouve à la fin du deuxième Acte.**

Tous
Suis-nous à travers la campagne, viens avec nous
Dans la montagne.
Tu t'y feras, quand tu verras là-bas
Comme c'est beau la vie errante, pour pays l'univers
Et pour loi ta volonté !
Et surtout la chose enivrante, la liberté ! La liberté !
Le ciel ouvert, pour pays tout l'univers.

Dans quels mots découvre-t-on les traits du Romantisme ?

....

....

Enrichissez votre vocabulaire

1 Retrouvez le verbe correspondant aux définitions.

Carmen dit à ses prétendants: «Il n'est pas défendu d'**attendre**
Et il est toujours agréable d'**éspérer.**

1. ☐ Se tenir en un lieu où quelqu'un doit venir, une chose arriver ou se produire et y rester jusqu'à cet événement.
2. ☐ Considérer ce qu'on désire comme devant se réaliser.

a. attendre

b. espérer

Actes 3 et 4

Compréhension écrite

Lisez le résumé du troisième et quatrième acte et faites les exercices suivants :

DELF **1 Dites si les affirmations suivantes sont vraies (V) ou fausses (F).**

	V	F
1. Il fait jour. À côté des feux du bivouac, quelques bohémiens dansent.	☐	☐
2. Don José pense à sa mère plein de bonheur.	☐	☐
3. Carmen essaie de lire son destin dans le marc du café.	☐	☐
4. Elle se sent dominée par un destin fatal.	☐	☐
5. Don José a une violente dispute avec Escamillo.	☐	☐

6. Les deux hommes se battent le fusil à la main. ☐ ☐
7. Micaëla supplie son fiancé de la suivre. ☐ ☐
8. Don José ne suit pas Micaëla. ☐ ☐

Enrichissez votre vocabulaire

1 Complétez le texte suivant avec une des trois options proposées.

Il fait **1** .... à côté des feux du bivouac, quelques bohémiens dorment. Don José, inquiet, pense à **2** ...., plein de remords. Carmen s'est déjà lassée de lui et pense à Escamillo comme nouvel **3** .... Des pressentiments obscurs agitent l'âme de la gitane, elle essaie de lire son **4** .... dans les cartes avec ses amies Frasquita et Mercedès. Elle se sent dominée par un destin fatal et ne veut rien faire pour s'y opposer. Don José qui aime à la folie Carmen, pour laquelle il a brisé sa vie, a une violente **5** .... avec Escamillo, qui est venu dans la **6** .... pour la voir. Les deux hommes se battent le couteau à la main. Carmen les sépare. Escamillo s'éloigne méprisant et fier.
Micaëla, cachée dans les **7** ...., a tout vu et supplie son fiancé de la suivre, car sa mère est mourante et réclame son **8** .... .Don José suit Micaëla déchiré par la **9** .... et la **10** ....

	A	B	C
1.	**A** jour	**B** nuit	**C** mauvais
2.	**A** Micaëla	**B** Carmen	**C** sa mère
3.	**A** amant	**B** ami	**C** époux
4.	**A** fatum	**B** existence	**C** destin
5.	**A** entente	**B** rupture	**C** dispute
6.	**A** montagne	**B** colline	**C** plaine
7.	**A** broussailles	**B** buissons	**C** bois
8.	**A** enfant	**B** fils	**C** garçon
9.	**A** angoisse	**B** peine	**C** douleur
10.	**A** haine	**B** jalousie	**C** crainte

Production écrite

DELF **1** **Écrivez trois événements communs à la nouvelle et à l'Opéra.**

1. ....
2. ....
3. ....

DELF **2** **Maintenant écrivez trois événements qui sont différents dans l'Opéra.**

1. ....
2. ....
3. ....

3 **Dites quel scénario vous préférez et justifiez votre réponse.**

....
....
....
....
....
....
....
....
....
....
....
....
....

1 **Décrivez les sentiments que Don José a pu éprouver tout au long de l'histoire en vous aidant de la liste ci-dessous.**

le contentement	le plaisir	le bonheur	la joie	la tristesse
la fierté	la jalousie	la déception	le désespoir	l'indifférence

1. D'abord, quand j'ai connu Carmen, j'étais...
2. Puis, j'éprouvais...
3. Cette liaison me rendait...
4. Finalement, je ressentais...

2 **Complétez le tableau suivant.**

	Où ?	Quand ?	Qui ?	Quoi ?
Chapitre 1				
Chapitre 2				
Chapitre 3				
Chapitre 4				
Chapitre 5				

3 **Dites si les affirmations suivantes sont vraies (V) ou fausses (F).**

		V	F
1.	Mérimée se trouve en Espagne pour faire des recherches archéologiques.	☐	☐
2.	José Navarro et Mérimée se connaissent depuis longtemps.	☐	☐
3.	Mérimée aide José Navarro à s'enfuir.	☐	☐
4.	Carmen est une gitane.	☐	☐
5.	Carmen ne tue personne dans la fabrique de tabac.	☐	☐
6.	Carmen devient la *romi* de José.	☐	☐
7.	Mérimée devient contrebandier par amour pour Carmen.	☐	☐
8.	Carmen veut vivre ailleurs.	☐	☐
9.	Carmen tue José.	☐	☐
10.	Avant de mourir, Carmen jette la bague offerte par José.	☐	☐
11.	Séville a accueilli des Expositions universelles.	☐	☐
12.	La *Feria de Abril* est une ancienne foire aux bêtes.	☐	☐
13.	La *Feria* marque la fin de la saison taurine.	☐	☐
14.	La corrida est un spectacle au cours duquel des taureaux sont mis à mort.	☐	☐
15.	Les corridas ont lieu dans des cirques.	☐	☐
16.	La *feria* accompagne la corrida.	☐	☐

4 Remettez en ordre les paragraphes suivants afin d'écrire un résumé de l'opéra Carmen.

a. ☐ Mais Carmen, une fois seule avec lui, le séduit afin d'obtenir la liberté. Il accepte même un rendez-vous à l'auberge de Lillas Pastia. Carmen réussit à s'enfuir.
Carmen chante et danse pour un groupe d'officiers. Parmi eux se trouve Zuñiga, qui a fait arrêter Don José et qui maintenant fait partie, lui aussi, du groupe de prétendants de Carmen. À ce moment-là, entre le torero Escamillo, suivi de ses admirateurs. Il tombe également amoureux de Carmen, mais sans succès.

b. ☐ Elle l'invite à rejoindre les contrebandiers dans la montagne. Arrive alors Zuñiga qui, irrité de les voir ensemble, ordonne à Don José de partir. Celui-ci refuse et tire son épée, les contrebandiers interviennent et obligent les officiers à sortir. Il ne reste donc plus à Don José qu'à suivre les contrebandiers dans la montagne avec Carmen.

c. ☐ Peu après, revient Micaëla, qui apporte à son fiancé des nouvelles et une lettre de sa mère. Le jeune homme, ému, est sur le point d'oublier l'incident avec la belle gitane, quand on entend un vacarme effroyable dans la manufacture. C'est Carmen qui, au cours d'une dispute, a blessé une de ses camarades. Zuñiga, l'officier de service, la fait arrêter et la confie à Don José pour qu'il la conduise en prison.

d. ☐ Parmi elles, se trouve Carmen, une bohémienne, qui est aussitôt courtisée et entourée d'hommes. Mais la jeune Carmen a remarqué Don José et après avoir chanté et dansé une chanson provocante, elle lui jette la fleur qu'elle porte dans son corsage. Don José se laisse prendre à son charme.

e. ☐ Après le départ du torero et des officiers, le Dancaïre et le Remendado, deux contrebandiers de la bande dont fait partie Carmen, essaient de la persuader de reprendre la contrebande, mais Carmen refuse : elle attend Don José. C'est ce soir-là qu'il doit sortir de prison, arrêté pour avoir consenti à sa fuite. Don José arrive : Carmen danse et chante pour lui et l'oblige à rester, quand il voudrait rentrer à la caserne pour l'appel.

f. ☐ Il fait nuit. À côté des feux du bivouac, quelques bohémiens dorment. Don José, inquiet, pense à sa mère, plein de remords. Carmen s'est déjà lassée de lui et pense à Escamillo comme son nouvel amant. Des pressentiments obscurs agitent l'âme de la gitane, elle essaie de lire son destin dans les cartes avec ses amies Frasquita et Mercedès. Elle se sent dominée par un destin fatal et ne veut rien faire pour s'y opposer.

g. ☐ Les gens acclament Escamillo qui se rend à la corrida. Le torero arrive, accompagné de Carmen magnifiquement habillée. Frasquita et Mercedès mettent en garde leur amie contre Don José, qu'elles ont vu près de l'arène. Mais Carmen, qui n'a pas peur de son ancien amant, reste seule avec lui et lui montre tout son mépris.

h. ☐ Don José, qui aime à la folie Carmen, et qui a brisé sa vie pour elle, a une violente dispute avec Escamillo, qui est venu dans la montagne pour la voir. Les deux hommes se battent le couteau à la main. Carmen les sépare. Escamillo s'éloigne, méprisant et fier.
Micaëla, cachée dans les broussailles, a tout vu et supplie son fiancé de la suivre, car sa mère est mourante et réclame son fils. Don José suit Micaëla, déchiré par la douleur et la jalousie.

i. ☐ Une fille de la Navarre, Micaëla, s'approche du corps de garde et demande à parler au brigadier Don José, un compagnon d'enfance à qui elle est fiancée. On lui dit de revenir plus tard pour le changement de la garde. À ce moment-là, les cigarières sortent de la manufacture et se mêlent aux soldats.

j. ☐ C'est en vain que le jeune homme lui montre de nouveau sa passion et sa jalousie et la supplie de revenir avec lui. Carmen refuse : tout est fini désormais entre eux. Elle jette la bague qu'il lui avait donnée. Fou de douleur Don José se lance sur elle et la poignarde.
De l'arène, on entend les acclamations pour la victoire d'Escamillo, tandis que Don José tombe en sanglots sur le corps de sa bien-aimée.